배낭 속에 담아온
철학자의
사유여행

배낭 속에 담아온 철학자의
사유여행 〜〜〜

초판 1쇄 인쇄 2018년 7월 20일
초판 1쇄 펴냄 2018년 7월 30일

지은이　　윤병렬
펴낸이　　유정식

책임편집　고나희
편집/표지디자인　이승현

펴낸곳　　나무자전거
출판등록　2009년 8월 4일 제 25100-2009-000024호
주소　　　서울 노원구 덕릉로 789, 2층
전화　　　02-6326-8574
팩스　　　02-6499-2499
전자우편　namucycle@gmail.com

©윤병렬 2018
ISBN : 978-89-98417-38-3(03100)

정가 : 13,000원

이 도서의 국립중앙도서관 출판사도서목록(CIP)은 e-CIP홈페이지(http://www.nl.go.kr/ecip)와
국가자료 공동목록시스템(http://www.nl.go.kr/kolisnet)에서 이용하실 수 있습니다.
(CIP제어번호: CIP2018021830)

배낭 속에 담아온 철학자의
사유여행

윤병렬 지음

나무자전거

🔵 들어가는 말

여행에 관한 인식과 관심이 높아짐에 따라 여행을 전문적으로 다루는 여행 관련 방송 프로그램이 온종일 방영되고 있다. 〈채널 T〉와 〈폴라리스 TV〉, 〈Noll TV〉 같은 케이블 방송이 그렇고, 그 외 일반방송과 공영방송도 여행 관련 테마를 자주 방영하고 있다. 일간신문에서도 여행을 특집 기사로 자주 다루고 있다.

이처럼 여행은 일상이 되고, 인천공항과 세계의 주요 도시, 명소는 여행객으로 붐비고 있다. 그러나 여행에 관한 인프라가 구축되었음에도 여행에 관련된 인문학과 철학(필자는 이를 '여행철학'이라고 칭하고자 한다)의 반응은 미미하여 여행자들을 뒤쫓지 못하고 있다.

'힐링투어'와 같은 말이 자주 쓰이는데, 복잡한 사회를 살아가는 사람들이 겪는 스트레스나 정신질환 치료에 여행이 도움될 수 있다는 데서 비롯된 것으로 보인다. 그러나 힐링의 정신적 의미는 퇴색하고 자연으로부터 이기적인 섭취에만 탐닉한다면, 마치 '웰빙'을 '잘 먹고 잘 사는 것'으로만 해석하는 것처럼, 본질에서 벗어난 것이다. 힐링이란 이름으로 다독거리기만 하고 쓸데없는 자장가를 불러 인간을 유약하게 한다면, 그 또한 힐링에서 빗나간 것이다.

힐링은 자연과 예술에 관한 체험이 전제된 후 존재해야 한다. 자연과 예술이 주는 기적 같은 일에 경탄할 수 있어야 하고, 그 경탄이 감사로 이어져야 한다. 이런 과정에서 변화된 삶이 주어지며, 변화된 삶을 전제로 힐링이 이루어질 수 있다.

여행은 스트레스에 휘말린 자에게 힐링을 제공할 수 있으며 나아가 재충전, 새로운 용기, 놀라운 변화, 깨달음, '제2의 탄생'(괴테의 『이탈리아 기행』에서)까지 가져오는 힘이 있다. 그런가 하면 혜초의 『왕오천축국전』은 깨달음을 향해 상상을 뛰어넘고 지상을 초월한 피안(彼岸, 깨달음의 세계 혹은 관념적 세계)에 가까운 여행을 담고 있다.

철학은 여행과 깊은 관계를 맺고 있다. 여행은 사유의 샘이다. 철학사에서 고대 그리스의 파르메니데스(Parmenides)는 철학을 여행의 형식으로 기술했다. 실존철학자 마르셀(Gabriel Marcel)은 인간의 본질을 '순례하는 존재(Homo viator)'로 규명하고 있다.

알랭 드 보통(Alain de Botton)의 『여행의 기술(The art of Travel)』이라든가 클라우스 헬트(K. Held)의 『지중해 철학기행(Treffpunkt Platon)』에서 철학적 사유가 여행과 긴밀하게 연결되어 있음이 잘 드러난다. 철학자들의 여행과 관련된 논의는 앞으로 좀 더 자세히 다룰 것이다.

고대 그리스의 파르메니데스에게서 철학은 여행의 형식으로 기술된다. '어둠의 집'을 떠나 '빛의 왕국'으로 나아가는 그의 교훈시(敎訓詩, Lehrgedicht)는 심오한 존재와 진리의 문제를 심층적으로 풀이하고 있다. 그의 여행을 뒤따른다면, 철학은 '어둠의 집'을 떠나 가파르고 험난한 길을 거쳐 '빛의 왕국'으로 여행하는 것이고, 그 나라 앞에 세워진 빛과 어둠이 갈리는 '태고의 문'에 이르게 하는 것이다.

인간의 고독한 실존에 깊은 주의를 기울였던 마르셀이 인간을 '순례하는 존재'로 규명한 것은 인간이 여행하는 존재, 나그네라는 것을 의미한다. 그에 의하면 인간은 유리(遊離)하는 자, 즉 도상에 존재하는 것(유리하는 것)을 결코 멈추지 않는다. 이런 순례는 목적 없이 떠도는 무모한 배회가 아닌, 실존적 상승충동을 느끼는 나그네의 여정이다.

여행은 오래 전부터 문학과 문화 및 철학과 예술의 요람이었다. 여행을 통해 철학과 문학의 창조적인 성찰이, 예술과 종교의 사유가 엮여져 나온다. 알랭 드 보통의 『여행의 기술』과 같이 여행을 기술하는 데 철학과 예술 및 문학이 총망라된 경우도 있다. 그런가 하면 클라우스 헬트의 『지중해 철학기행』은 고대 그리스 철학의 흔적이 깃든 지역을 중심으로 기행과 철학적 사유를 심층적으로 다루고 있다.

의미심장한 여행을 감행한 이는 많다. 마르코 폴로(Marco Polo)의 몽골제국 여행, 알렉산더 폰 훔볼트(Alexander von Humboldt)의 남미대륙 여행 등은 온 인생을 쏟아붓는 여행이었을 것이다. '제2의 탄생'을 일구어낸 괴테의 여행도, 『왕오천축국전(往五天竺國傳)』이 증언하듯 맨발로 일구어낸 혜초의 구도(求道)여행이자 세계여행도 그렇다.

우리는 여행하는 곳에서 새 하늘과 땅을 경험하고 아름다운 산과 바다, 태양과 별 또는 들녘과 이국적인 것을 보고 즐긴다. 그리고 눈앞에 보이는 무엇보다 삶의 고귀한 의미를 주워 모아 배낭 속에 담아올 것이다. 운이 좋다면 새로운 인생길도 찾고 우리를 변화시키는 의미도 붙잡을 것이다.

고귀한 것을 획득하지 못한다고 해도 최소한 자연과 세상을 아름답게 보는 훈련을 하게 될 것이며, 그런 훈련을 통해 아름다움에 민감한 시선을 획득할 것이다. 자연이 주는 은총과 축복에 경탄과 감격으로 전율하게 된다면 영광스러울 것이다. 대자연은 그 자체로 존재의 환희와 경탄을 안겨주고 원초적 생(生)의 약동을 펼쳐 보인다.

여행을 앞두고 있다면 셰익스피어의 햄릿처럼 우유부단해선 안 된다. 일상을 되새김질하고 뒤돌아보며 떠날 수 없는 이유를 찾고, 계속 미루고 꿈틀대면 끝내 여행하지 못할 수 있다. 파울로 코엘료(Paulo Coelho)의 말처럼 여행을 떠나지 못하는 것은 경제적인 문제가 아니라, 용기의 문제인 것이다.

무언가 걸리는 구석이 있어 편치 않을지라도, 경우에 따라 뒤통수가 따갑게 여겨질지라도 조건을 달지 말고 훌쩍 떠나는 것이다. 그러면 새로운 세계와 자연이 펼치는 예기치 않은 자유와 행복을 경험할 수 있다.

여행 짐도 가볍게 꾸려야 한다. 짐을 무겁게 하는 것은 미련을 가득 담는 것이나 다름없다. 불필요한 짐은 버려야 한다. 짐 때문에 여행이 더뎌지거나 방해 받아서는 안 된다. 여행지에서 새로운 것으로 가슴과 머리를 채우고 배낭도 채울 수 있다.

어떤 여행에선 기대와 달리 힘겨울 수 있다. 예기치 않게 자신과의 싸움을 펼쳐야 할지도 모를 일이다. 실패나 좌절도 있을 것이다. 또한 모든 싸움이 무의미하거나 무모하진 않고 값지고 보배롭기도 하다.

'성숙을 위한 아픔'이 될 것이고 삶의 의미를 깨닫게 해주는 담금질이 될 수도 있다. 여행 중에 경험한 어떠한 일이든, 체험한 무엇이든 자기 역사의 한 페이지로, 귀중한 추억으로 남을 것이다. 사람은 본 만큼 느끼고, 느낀 만큼 안다.

여행에서 예기치 않은 어려움도 따를 수 있다는 것을 염두에 두어야 한다. 바다에 파도가 크게 혹은 작게 일렁이듯 어려움이 닥칠 수 있다. 바다에 일렁이는 파도가 지극히 정상인 것처럼 인생의 여정과 여행에 어려움이 이는 것은 이상한 일이 아니다. 겁먹지 말고 여로에 오르면, 여행의 걸음이 가벼워진다.

이 책에선 남태평양과 동남아시아의 아름다운 바다와 섬을 여행하며 느꼈던 경탄과 경외심을 미학적·문학적·철학적으로 옮기고 음미해보았다. 나아가 여행이 선사하는 놀라운 변화(자유와 해방, 심기일전과 재충전, 체념과 극기, 새로운 변화의 모색, 평화와 기쁨에 이르기까지)를 체득하고, 이를 중심으로 여행철학에 관한 정의를 세우고자 한다. 제2장(순례하는 존재와 여행의 철학)에서는 여행의 철학에 있어 좀 더 구체적인 이유를 제시할 것이다.

차례

그대는 아는가,
저 남쪽 나라를…

인간은 여행하는 존재다. 누구나 태어나면서부터 자신의 여로를 가야 하기 때문이다. 인생은 어딘가로 떠밀려 간다. 자신의 의도와 상관없이 인생은 어디론가 움직이고, 어딘가를 향해 나아가고 있다. 인생은 항상 여행 중이다. 인생 자체가 항해다.

죽음도 여행의 한 단계일 것이다. 그것은 항해의 끝이고 동시에 불확실한 피안(彼岸, 깨달음의 세계 혹은 관념적 세계)으로 향하는 새로운 여정의 시작이다. 자신의 의지와 상관없이 '인생의 여로'에 올라야 한다. 그렇다면 의미 있는 인생의 여로를 만들어야 하지 않을까.

일상의 삶에서 고달프거나 지쳤을 때, 막막할 때 탈출할 요량으로 여행을 꿈꿀 때가 있다. 틀에 박힌 일상에 매몰된 삶에서 벗어나는 일이 여행이다. 여행 자체가 목적지보다 더 중요하고 의미 있을 수 있고, 그러한 깨달음이야말로 순례의 심오한 진리다. 작든 크든 깨달음이 주어지는 모든 여행은 순례.

어떤 이유든 여행에 동기부여가 잘 됐다면, 구름 같이 가볍고 자유롭게 여행할 수 있다. 어떤 땐 몸과 마음이 무거워 움직여지지 않을 때도 있다. 그럼에도 툭툭 털고 일어나 한 걸음 한 걸음 꿈을 현실로 바꿔간다면 언젠가 새로운 세상 속에 있는 자신의 모습을 보게 될 것이다.

배낭 하나 둘러 메고 어디론가 훌쩍 떠나서 복잡한 머리를 다 비우고 새롭게 출발할 힘을 얻으면 좋겠다. 순수한 원시의 땅과 바다에서 속세의 고민과 아픔, 무거운 짐을 훌훌 벗어 던지고, 몸에 쌓인 때를 몽땅 씻으면 좋겠다. 마지막 비행에서 돌아오지 않은 『어린왕자(Le Petit Prince)』의 생텍쥐페리(Antoine Marie Roger De Saint Exupery)처럼 어디론가 사라져 자연이 연출하는 데로 맡겨진다면 어떨까.

이상향이나 낙원을 향한 꿈은 허황한 상상이 아니다. 그것은 새로운 세계로 거듭나게 하는 묘한 힘을 준다. 우리의 삶이 처절한 상황에 놓여도 버틸 수 있게 하는 힘을 제공한다. 그리워할 것과 추구하는 것이 있으면 삶을 향한 에너지는 소진되지 않는다.

'그대는 아는가, 저 남쪽 나라를'을 가만히 읊조리면, 어딘가

강렬한 태양이 이글거리고 초록의 열대식물과 열대과일, 무거운 심신을 내려놓을 수 있는 쉴만한 곳이 떠오른다. 무한에 가까운 바다와 하늘, 대지에 석양이 그려내는 그림, 동화를 속삭이듯 늘어선 섬, 피로와 질병을 치료하는 바닷물이 눈앞에서 아른거린다.

'그대는 아는가, 저 남쪽 나라를'은 괴테(Johann Wolfgang von Goethe)의 작품 『빌헬름 마이스터의 수업시대(Wilhelm Meisters

Lehrjahre)』를 토대로 작곡가 토마(Ambroise Thomas)가 곡을 붙인 오
페라 〈미뇽(Mignon)〉의 아리아(Aria)이다. 오페라의 서막은 독일의
어느 호텔이 배경인데, 사람들이 술을 마시고 즐기는 가운데 집시
들의 유랑극단이 공연을 펼친다. 악단의 단장이 어린 무희인 미뇽
에게 춤출 것을 강요한다. 피로에 지친 미뇽은 단장의 지시를 거절
하고, 이를 못마땅하게 여긴 단장은 채찍을 든다.

이때 젊은 수행자 빌헬름 마이스터가 나타나 돈을 주고 그녀를 구한다. 빌헬름 마이스터는 불쌍하게 보이는 소녀에게 고향이 어딘지 그리고 부모는 누군지를 묻는다. 미뇽은 귀족 출신의 처녀이지만, 어렸을 때 집시들에게 유괴되어 부모와 헤어지고 이 유랑극단의 무용수가 된 것이다. 미뇽은 빌헬름 마이스터의 물음에 감사의 마음을 전하고, 희미한 어린 시절의 기억을 떠올리며 '그대는 아는가, 저 남쪽 나라를'을 부른다.

그대는 아는가, 저 레몬꽃 피는 나라를,

그늘진 잎 속에서 금빛 오렌지 빛나고

푸른 하늘에선 부드러운 바람 불어오며

협죽도(Oleander)는 고요히, 월계수는 드높이 서 있는

그 나라를 아는가?

바람도 고요한데, 새는 노래하고

향기로운 꽃에 모여드는 꿀벌들

아지랑이 어린 영원한 봄 나라

그 남쪽 나라로 함께 갈까요?

그곳으로! 그곳으로 가고 싶어요.

그대와 함께, 오 내 사랑이여!

그대는 아는가, 그 산, 그 구름다리를.

노새가 안개 속에서 제 갈 길을 찾고 있고

동굴 속에는 해묵은 용들이 살고 있으며

무너져 내리는 바위 위로

다시 폭포수 쏟아져 내리는 곳. 그곳으로! 그곳으로!

우리의 갈길 뻗쳐 있어요. 오, 아버지

우리 그리로 가요!

'그대는 아는가, 저 남쪽 나라를'에서 그리움의 시적 감흥에 취해 남국에의 열정이 더 깊이 파고드는 것을 느낀다. 레몬과 협죽도, 금빛 오렌지, 월계수, 푸른 하늘과 부드러운 바람, 영원한 봄 나라는 아름다운 이상향이고 유토피아다. 꿈처럼 황홀한 남쪽 나라는 괴테의 발길을 오랫동안 붙잡아 이탈리아 곳곳을 떠돌게 한 이유가 되었다.

언젠가 림스키 코르사코프(Rimsky Korsakov)의 오페라 〈사드코(Sadko)〉에 나오는 '인도의 노래(Chant hindou)' 때문에 얼마나 잠 못 이루었던지. 낭랑하게 울리는 플롯과 피아노 반주에 소프라노 안네리제 로텐베르거(Annelise Rothenberger)의 매끄러운 고음에서 나오는 진동은 저 멀리 인도에까지 들릴 것 같았다.

'인도의 노래'는 원양항해를 하게 된 사드코가 함께 갈 사람을 모으고 외국 사정을 알고자 외국 상인들로부터 이야기를 듣는 장면에 등장하는 아리아이다. 그 장면에서 한 인도 상인이 자기 나라를 자랑하는 내용의 노래를 부른다.

멀고 먼 남쪽 나라 푸른 바닷물 속에
깊게 잠기어 있는 수없이 많은 보배.
루비며 산호로 빛나는 섬엔
사람의 얼굴을 한 인어가 살고 있고
언제나 부르는 노래, 아름다운 선율에
고운 새들은 춤을 추누나.
그 노래 들으면 불로장수하나니
아름다운 남쪽 나라
수많은 보배가 잠긴 푸른 바닷물….

인도에 대한 동경은 하이네(Heinrich Heine)의 시(詩)와 멘델스존의 곡으로 유명한 '노래의 날개 위에(Auf Flügeln des Gesanges)'에도 나타난다. 이 곡은 목가적 낙원과 안식과 꿈, 행복을 잘 그려내고 있다.

노래의 날개 위에,

사랑하는 님, 그대를 실어가리다.

저 멀리 갠지스의 평원으로,

그곳은 내가 아는 가장 아름다운 곳.

그곳에는 붉은 꽃 피어나는 정원이

고요한 달빛을 받고 있다.

연꽃들도 사랑하는

자매를 기다리고 있다.

제비꽃들은 서로 키득거리고

별들을 쳐다보며 소곤거린다.

장미들은 은밀히 향기로운 이야기를

서로의 귓속에 속삭인다.

껑충거리며 지나가다 엿듣은

영리한 영양(羚羊)들,

그리고 멀리서 출렁이는

성스러운 강물의 잔 물결소리.

그곳에 앉아요.

야자나무 아래,

그리고 사랑과 안식을 마시며

행복한 꿈을 꾸어요.

'노래의 날개 위에'는 사랑하는 사람을 노래의 날개 위에 실어 인도의 갠지스 평원으로 가고자 한다. 갠지스 평원은 파라다이스처럼 묘사됐다. 이 파라다이스는 연꽃과 제비꽃이며 장미를 비롯한 온갖 꽃의 속삭임, 붉은 꽃이 피어나는 정원, 고요한 달빛, 껑충거리는 영양과 성스러운 강물의 잔물결소리로 장식된 천진무구한 세계이고 낙원이다.

그러나 '그대는 아는가, 저 남쪽 나라를'과 '인도의 노래' 및 '노래의 날개 위에'는 이탈리아와 인도에 국한된다. 더욱이 괴테는 대양을 두 번 밖에 못 보았다 하고, 나폴리를 떠나 시칠리아로 여행한 것이 세 번째인 것이다.

> 나는 대양을 두 번 보았다. 첫 번째는 아드리아해이고 두 번째는 지중해였는데 그저 지나가는 길에 방문한 것에 지나지 않는다. 나폴리에서는 바다와 좀 더 잘 사귀어보자.[1]

아마도 이들을 작곡하고 작시한 시인과 작곡가는 남태평양을 몰랐을 것이다. 저들 낙원엔 에메랄드빛과 코발트빛의 바다와 동화 같은 섬이 몇이나 나타날까. 남태평양에 비하면 왜소할 것 같다. 모든 낙원에 등장하는 남쪽 나라에 무엇이 있기에 이토록 그립게 하는 것일까? 향수를 불러일으키기 때문일 것이다. 인간의 마음엔 낙원을 향한 원천적 향수가 존재하기 때문일 것이다.

종교도 궁극적으로 원초적인 향수와 낙원으로의 귀향을 갈구하는데, 천국이나 극락은 그런 곳이 아닐까. 기독교는 인생살이를 천성을 향해 가는 여정으로 나타낸다. 모세가 백성을 이끌고 우여

---

1 J.W.von 괴테, 박영구 옮김, 『괴테의 이탈리아 기행』, 푸른숲, 2002, 235쪽.

곡절을 겪으며 '젖과 꿀이 흐르는' 가나안으로 나아가는 것은 낙원 (천국)에 관한 하나의 사례이고 상징이다.

여행은 이런 심오한 종교적인 성격을 띠지 않은 경우에도, 삶 가운데 펼쳐지는 여행이라고 해도 작은 낙원을 그리며 나아가는 일종의 감행이다. 작은 여행도 낙원을 향한 인간의 원초적 향수에 의한 것이다.

그러니 낙원에 대한 향수는 단순한 향수에 머물지 않는다. 피안도 현실과 격리돼지 않는다. 피안의 세계는 적어도 그런 곳이 있을 것이라는 기대를 갖게 한다. 피안이 피안으로만 머무는 것이 아닌 현실로 바뀔 가능성이 있는 곳에 철학과 문학, 신학이 깃든다.

이상향과 실제 모습이 일치할까, 실제 존재할까 하고 생각할 수 있다. 완전한 일치를 고집할 필요는 없다. 이상향을 떠올리는 것 자체도 큰 의미가 있다. 얼마나 예민한 감수성으로 받아들이는가에 달려있다. 생의 깊이에 도달한 자는 심미적 세계를 꿰뚫어 볼 것이다. '보는 것만큼 안다.'는 '아는 것만큼 본다.'이다.

유려한 시(詩)와 음악으로 낙원과 파라다이스를 그려야만 하는 것은 아니다. 겸허한 기대와 갈망을 갖고서 여행길에 나서면 그만이다. 미지의 세계에 기대 없어도 괜찮다. 일상을 등진 새롭고 낯선 세계에서는 자연스레 새로운 일상이 마련되고, 오감이 다시 살아나고 열리기 때문이다.

여행 후에 가진 확신이지만, 나는 모험한 여행에서 삶의 의미와 즐거움, 새로운 힘을 얻었다. 현실이 어렵고 힘들어도 여행지에서의 기억을 떠올리며 찔끔 눈 감는 식으로 그까짓 속세에서의 아픔이야 건너뛸 수 있는 것이다.

다채로운 자연 가운데 펼쳐지는 무한의 자유는 자연이 마법사일 뿐만 아니라 죽은 자도 살려내는 아스클레피오스(Asclepius, 그리스신화에 나오는 의술의 신)와 같은 치유자임을 여실히 보여준다.

무겁게 방랑하는 마음으로든 가볍게 산책하는 마음으로든 원시림 속이나 광대한 해변을 거닐었다면, 자연은 심경에 걸맞은 자유와 해방을 안겨 줄 것이다. 자연의 신비에 좀 더 민감해 생동하는 모습을 꿰뚫어 보면, 야자수 아래서 쉬기만 해도, 바닷바람이 볼을 스치며 반기는 걸 느끼기만 해도, 물결에 피부가 문질러지기만 해도, 백사장 위 게와 새들이 남긴 발자국을 추적하기만 해도 속세의 고통과 갈등에서 해방돼 안식과 기쁨에 겨울 것이다.

자연의 소리에 귀 기울이는 자연주의자라면, 자연이 펼치는 기적이 인간이 만들어내는 위대함을 심층적으로 간파하고 있다면, 속세의 허울과 문명의 때 때문에 고통스러워했다면, 오염되지 않은 채 자신의 속살과 자태를 유감없이 드러내는 자연에 감격할지 모른다. 이제 배낭을 꾸려보자.

새로운 세계와 조우하고 자연이 연기하는 무대에서 장단을 맞춰보라. 지친 심신을 석양의 노을빛으로 채색해 정상을 되찾고, 인생길에서 쌓은 무거운 짐을 바닷물에 내려놓으며, 품고 있던 울화를 태양빛에 말려버리고, 말 못할 고독도 꽃향기와 원시림에 묻어놓겠다는 마음가짐만 있어도 여행길은 참으로 즐거울 것이다.

순례하는 존재와
여행철학

마르셀의 순례하는 존재

　문학과 예술, 음악 등은 나그네인 인간의 존재를 수없이 드러낸다. 철학 또한 인간이 본질적으로 나그네임을 규명한다. 인간의 고독한 실존에 깊은 주의를 기울였던 마르셀(Gabriel Marcel, 프랑스 실존주의 철학자)은 인간을 '순례하는 존재(Homo Viator)'로 규명했다.

　마르셀에 의하면 인간은 유랑하는 자, 즉 도상에 존재하는 것(떠도는 것)을 멈추지 않는 자이다. 인간은 목적 없이 배회하는 것이 아니라, 순례(여행)를 통해 실존적 상승충동을 느끼는 나그네다. 여행(순례, 방랑, 유랑 등등)은 호모 비아토르(Homo viator, 나그네로서의 인간)에게 크고 작은 역량을 발휘한다.

　인간이 발버둥치고 애태우며 삶을 영위하는 게 의미 있는 여로를 만들기 위한 것 아니겠는가. '의미'를 어디에 두느냐, 무엇이 라고 보느냐에 따라 각각의 여로는 달라진다. 어쨌거나 인간은 자신의 여로를 위해 자신을 그 노정에 들여놓는다.

인간은 자신의 인생길을 찾아가는 존재고, 길을 찾기 위해 몸부림치는 존재다. 고달픈 여로에서 헤매다 구원자를 만나기도 하는데, 단테(Alighieri Dante)의 『신곡(神曲)』은 그런 여로를 비춰 보인다. 그는 삶의 중반에 '올바른 길을 잃고' 어두컴컴한 숲속에서 헤맸다고 읊으며, 그 순간 스승 베르길리우스를 만나 서광이 비치는 곳으로 나아갔다고 『신곡』 서두에 적고 있다.

> 인생의 중반기에 올바른 길에서 벗어난 내가 눈을 떴을 때는 컴컴한 숲속
> 이었다. 가혹하고 황량한, 준엄한 숲이 어떤 것이었는지 입에 담는 것조
> 차 괴롭다. 생각만 해도 몸서리쳐진다. 괴로움으로 진정 죽을 것만 같다.
> ...
> 어떻게 해서 그곳에 발을 들여놓았는지는 쉽게 말할 수가 없다. 당시 나
> 는 그저 공연한 일에 열중하게 되어 올바른 길을 버렸던 것이다. 숲속에
> 서 내 마음은 두려움 때문에 떨고 있었으나, 그래도 그 골짜기 끝에 이
> 르렀을 때, 나는 어느 언덕 기슭에 다다랐다.[2]

---

2 단테, 구지운 옮김, 『신곡』, 일신서적출판사, 1990, 7쪽.

단테처럼 베르길리우스를 만나지 못하더라도 새롭고 신비한 것들을 만나 가르침을 받고 깨달음을 얻으며, 그 위력으로 심신의 상처를 싸맬 수 있다. 자연이 스승이고 어머니이며 치료자임을 깨닫는다면 고귀한 여행을 할 수 있다.

● 파르메니데스와 플라톤 철학

고대 그리스의 파르메니데스와 플라톤에게서 철학은 여행과 결부된다. 여행시(旅行詩)로 엮은 파르메니데스(Parmenides)의 철학은 심오한 깊이를 갖고 있다. 그의 여행을 뒤따른다면, 철학은 '어둠의 집'을 떠나 가파르고 험난한 길을 거쳐 '빛의 왕국'으로 여행하는 것이고, 빛과 어둠이 갈리는 '태고의 문'에 이르는 것이다.

이 노정에서 지혜를 찾아 나선 사람(철학자)은 '어둠의 집'에서 출발해 '인간들이 다니는 길과는 동떨어진 곳'을 거쳐, '태양의 소녀들(여신 디케(Dike)가 보낸 사자들)'이 안내하는 마차를 타고 길을 떠난다.

빛과 어둠이 갈리는 '태고의 문'에 이르면 여신 디케는 험난한 여행을 감행한 사람(지혜를 추구하는 사람)을 반갑게 맞으며 '존재의 진리'를 선포한다. 여신은 무엇이 진리이고 무엇이 거짓인지를 알

려주는데, 일방적인 통지가 아닌, 여행하며 '지혜를 추구하는 사람'
의 확신과 동의를 구하는 것이다.

　　파르메니데스의 메시지는 분명 철학하는 사람에 관한 이야기
이다. 철학하는 사람(지혜를 추구하는 사람)은 무지의 암흑에서 벗어
나 혼란스러운 세상과 사람들의 틈바구니에 끼여 고독하게 자신의
여로를 간다. 진리를 찾아 길을 떠나는 것이 때론 고독하고 쓸쓸하

며 위험하다는 것을 비유로 보여준다. 어려움과 우여곡절, 난관을 극복하고 어두운 노정을 벗어날 때 진리는 밝혀지고 선포된다.

진리는 인간의 작위(作爲)와 무관하고 스스로 존재하며, 스스로를 내보이며 고유한 빛 속에서 나타난다. 진리는 비진리로 대체되거나 조작될 수 없다. 진리에 대해 인간이 할 수 있는 태도나 과제는 진리를 받아들이고 진리를 향해 나아가는 것이다.

'존재의 진리'와 깨달음은 여행 끝에(플라톤적으로 말하면 '동굴의 세계'를 박차고 나간 뒤에) 주어진다. 깨달음은 그것을 꿰뚫어 볼 수 있는 시각을 가졌을 때 가능하다. 파르메니데스의 철학은 오늘에도 유효하다. 철학은 여행과 결부되어 있다.

시인 노발리스(Novalis)에게 '철학은 본질적 의미에서 하나의 향수병이다. 그가 철학을 고향에 머물고자 하는 충동이다'고 규명한 것은 철학의 본질을 예리하게 꿰뚫어 본 것이다. 노발리스의 통찰은 파르메니데스의 철학적인 여로 위에 놓여있다. 고향에 대한 향수로 여로에, 말하자면 '어둠의 집'에서 '빛의 왕국'으로 나아갈 수 있다.

이때 고향은 고정된 지리적 장소가 아니라, '근원'으로 혹은 '본래성'으로 희구하며 찾아가는 항성(恒性)이다. 하이데거(Martin Heidegger)는 횔더린(Friedrich Hölderlin)의 시(詩)를 해명하며 고향을 '근원에 가까운 곳'이라고 하는데, 그에게 귀향은 '근원의 가까이로 돌아감'이다.

'어둠의 집'을 떠나 '빛의 왕국'으로 나아가는 여정이 가파르고 험난할지라도, 그런 여행은 어떤 강압에 의한 것이 아니라 즐거운 열정(플라톤적인 에로스)과 자율 및 용기에 의한 것이다. 여로에 나서는 철학은 갈급한 여행의 혼(Geist, 정신)을 갖는다. 갈급한 마음으로 산에 오르는 것과 유사한 이치다.

플라톤도 철학을 여행과 결부했다. 그는 어둠의 집을 떠나 가파르고 험난한 길을 거쳐 빛의 왕국으로의 여행을 『국가』의 '동굴의 비유'에 그대로 옮겨놓았다. 참된 실재(이데아의 세계)가 이글거리는 동굴 밖으로의 여행은 '가파르고 험난한 길'이며 '알을 깨는 아픔'이 요구되는 여행이고 때론 죽음도 각오해야 하는 여정이다.

여행이 결국 동굴 안에서 '야만의 수렁'에 빠진 영혼을 태양이 이글거리는 밖의 실재세계로, 진리와 자유가 넘실거리는 밝은 세계로 이끈다. 일종의 여행으로 은유되는 철학은 '야만의 수렁에 묻혀버린 영혼의 눈을 끌어올려 점차 빛의 세계로, 위로 상승하게 하는 것이다.'(『국가』, 533쪽). 여행은 인간을 해방으로 이끌고 방향을 전환하게 하며, 밖으로 향하게 하고 위로 인도한다.

플라톤은 동굴의 비유를 통한 여행 외에 스스로 방랑의 여행을 떠난 철인(철학자)이다. 그는 스승, 소크라테스의 죽음 후에 고통과 분노를 삭이느라 10년이나 되는 세월을 국외에서 방랑했다. 그가 이집트와 이탈리아, 시리아를 돌아다녔으며, 갠지스강 언덕에까지 가서 붓다의 설교를 들었다고 주장하는 이들도 있다. 그가 인도까지 갔는가를 따질 필요 없지만, 오랜 방랑을 했음에는 이의 가 없다.

스승(소크라테스)의 죽음에서 드러나듯 죄 없는 사람이 누명을 쓰고 죽는 일이 세상에 허다하다. 진리가 허위로, 허위가 진리로 둔갑하는 것이 인류의 역사엔 많았다. 플라톤은 용케도 절망과 비관에 빠지지 않고 온갖 체험을 하고 밝고 맑은 영혼의 눈으로 고향 아테네로 돌아왔다. 오랜 세월 외롭고 고된 여행을 했지만, 위대한 철학을 연마하고 돌아왔다.

🗨 괴테의 이탈리아 여행

여행을 앞둔 나그네에게는 열린 미래가 있어 신비롭고 굉장한 일들이 전개되리라는 설렘을 가득 느끼게 된다. 그 일들은 그의 인생에 큰 변화를 가져올 수도 있을 것이다. 이와 같은 큰 변화의 형태를 괴테의 『이탈리아 기행』에서 볼 수 있다. 이탈리아로 향하는 출발부터 심상치 않다. 그는 아무도 모르게 떠나려고 만물이 잠든 고요한 새벽 3시(1786년 9월 3일) 마차를 타고 길을 나섰다.

새벽 3시에 칼스바트를 몰래 빠져나왔다. 그렇게 하지 않았더라면 사람들이 나를 떠나게 내버려 두지는 않았을 테니까.[3]

여행에 몰입하기 위해 생활습관을 완전히 바꾸고 진지하고 비장한 마음으로 여로에 나서는 모습이 역력하다. 1년 9개월간의 긴 여행을 위한 것이다. 괴테는 홀로 이탈리아로 향했다. 그는 여행 내내 정치적 신분(프로이센의 교육부 장관)과 저명한 문학가의 신분을 철저히 숨겼다.

평범한 여행객 한 사람이면 충분했다. 정치적·사회적 명성과 부를 가진 사람이라면 신분상의 특권이나 이점을 누릴 수도 있겠지만, 그는 이를 멀리하고 익명으로 매사에 근면하고 탐구적인 자세로 수양을 쌓는 데만 집중했다.

괴테 주변의 사람들은 그의 여행에 대한 강렬한 갈망을 예기치 못했을 것이다. 그가 오래전부터 질병에 가까울 정도로 남국에 강렬한 갈증을 갖고 있었던 것은 『빌헬름 마이스터의 수업시대』에서 미뇽의 입을 통해, 이를 멜로디로 옮긴 토마의 아리아 '그대는 아는가, 저 남쪽 나라를'에서 잘 드러난다. 그의 여행기 한 대목에서 이런 갈증과 여행동기가 잘 밝혀 있다.

3 J.W.von 괴테, 박영구 옮김, 『괴테의 이탈리아 기행』, 푸른숲, 2002, 13쪽.

북방에 있으면 누구든 몸과 마음이 그곳에 사로잡혀서 이런 지방에 대한 기대가 완전히 사라져버린다는 것을 실감했기 때문에 나는 이 길고 고독한 여행을 하기로 결심하고, 어찌할 수 없는 욕구에 이끌려 이 세계의 중심지를 방문하게 된 것이다. 정말이지, 지난 몇 년 동안 은 마치 병이 든 것 같았고, 그것을 고칠 수 있는 길은 오로지 이곳을 내 눈으로 직접 바라보며 이곳에서 지내는 것뿐이었다.[4]

남국 여행에의 갈망으로 '마치 병이 든 것 같은' 상태는 여행을 통해 해소할 수밖에 없었음을 고백하고 있는데, 이는 그의 여행이 힐링투어였음을 의미한다. 그도 자신의 힐링투어를 상세히 밝히고 있다.

이제 이곳에 도착한 나는 마음이 편안해지고 평생 동안 지속될 듯한 안정을 찾은 것 같다. … 내 젊은 시절의 모든 꿈들이 지금 이 순간 내 눈앞에서 생생히 되살아나고 있다.[5]

괴테는 장기여행을 결단한 것에 자부심과 기쁨을 감추지 않았 다. 여행을 시작한 지 나흘 뒤인 9월 7일 미텐발트에서의 일기엔

---

4 앞의 책, 160쪽. 여기서 북방이란 괴테가 살고 있는 나라를 일컫는다. 5 앞의 책, 161~162쪽.

'이렇게 아름다운 날에 나를 이곳으로 데려온 수호신에게 감사하는 마음이다.'[6] 라고 술회한다. 그는 벗들에게 보낸 편지에서 자신의 여행을 일종의 남국에의 도피였다고까지 한다.

> 왜냐하면 나의 여행은 사실 북위 51도상에서 감수했던 모든 불쾌한 것들로부터 벗어나려는 도피였기 때문에. 나는 북위 48도상에 이르면 진정한 고센(이집트의 비옥한 땅. 구약성서 창세기 45, 10; 47, 1-11 참조: 역주) 땅에 들어서게 될 것이라는 희망을 품고 있었음을 고백하지 않을 수 없는 것이다.[7]

시인의 통찰력으로 아름다운 자연에 쏟아부은 찬사 또한 놀랍다. '티롤 근방에서 인탈 계곡까지는 내리막길이다. 그곳은 이루 말할 수 없이 아름다웠는데, 한낮의 아지랑이가 그 지역을 더욱 절경으로 만들어주었다'.[8]고 그 지역의 풍경을 노래한다.

'인스부르크에서부터 오르는 길은 점점 더 아름다워지는데, 어떤 묘사도 따르지 못할 정도이다.'[9]고 소감을 메모했다. 9월 26일 파도바에서 기록한 여행기에도 이탈리아의 자연과 농촌 풍경에 관한 시인의 미학적 관점이 드러나고 있다.

6 앞의 책, 19쪽. 7 앞의 책, 28쪽. 8 앞의 책, 24쪽. 9 앞의 책, 25쪽.

이윽고 남북으로 뻗은 아름다운 산맥이 오른편으로 펼쳐졌다. 만발한 꽃과 풍성한 과일이 담과 울타리 위로 나무에 매달려 있는 광경이 이루 말할 수 없이 아름다웠다. 지붕 위로 묵직한 호박이 널려 있었고, 이상하게 생긴 오이들이 장대와 격자 받침대에 매달려 있었다.[10]

그의 여행기 중 나폴리 가까운 곳에서 자연의 아름다움에 관한 면밀한 관찰이 보인다.

땅 위로는 클로드의 그림과 스케치에서나 볼 수 있는 아지랑이가 떠다녔다. 그러나 자연현상이 이곳만큼 아름답게 보이는 곳도 쉽게 찾기가 힘들다. 내가 아직 모르고 있던 꽃들이 땅속에서 솟아나며 나를 반기고, 나무마다 새로운 꽃들이 피어나고 있다. 아몬드나무도 꽃을 피워 암녹색의 떡갈나무 사이에서 대기 현상을 새롭게 바꿔놓고 있다. 하늘은 햇빛을 받아 담청색의 타프타 옷감 같다. 나폴리의 하늘은 얼마나 더 아름다울까![11]

괴테는 나폴리에 도착해 '계속해서 나폴리를 꿈꾸었기 때문에 결코 불행해질 수 없었다.'[12]고 술회한다. 그는 어릴 적부터 이탈

---

10 앞의 책, 89쪽. 11 앞의 책, 236쪽 12 앞의 책, 243쪽.

리아를 여행한 아버지의 여행담을 자주 들으며, 이탈리아를 동경해 왔다. 그는 나폴리의 첫인상을 다음과 같이 적었다.

이곳은 모든 것이 이루 다 말할 수 없이 뛰어나다. 해변과 만, 넉넉한 바다, 베수비오 화산, 시내, 교외, 성곽, 유곽, 그 모든 것이 말이다! 저녁에는 포실리포 동굴을 찾았다. 때마침 낙조 무렵이어서 맞은편으로 노을이 드리워져 있었다. 나는 넋을 잃었고 나폴리에 매료된 모든 사람을 이해할 수 있을 것 같았다.[13]

'아주 미칠 것 같이 뛰어난 광경'을 볼 땐 '눈이 휘둥그레지며' 놀랄 따름이라고 나타낸다.[14] 그런가하면 나폴리를 천국이라고까지 표현한다.

나폴리는 천국이다. 모든 사람이 어느 정도 도취된 듯한 자기 망각 속에 살고 있다. 나도 마찬가지다. 나 자신을 좀처럼 인식할 수가 없고 완전히 다른 사람이 된 것 같다. 어제는 이런 생각이 들었다. '너는 옛날에 미쳤거나 아니면 지금 미쳐 있다'라고.[15]

---

13 앞의 책, 243쪽. 14 앞의 책, 243–345쪽 참조. 15 앞의 책, 263쪽.

괴테는 이러한 지적을 이탈리아 방방곡곡을 다니면서 빠뜨리지 않았고, 때론 그림으로 스케치해 남겼다. 무엇을 보고 관찰하든 그에게서는 감격과 감탄이 흘러나왔는데, '너무 많은 것을 보고 너무 많이 감탄한 나머지 저녁이 되면 피곤해서 기진맥진한 상태'[16] 라고 했다. 마차에 실려 밤에 이동할 땐 자연경관을 못 본 것에 안타까워했다.

---

16 앞의 책, 172쪽

나는 이렇게 경치 좋은 지방을 한밤중에 날다시피 엄청난 속도로 지나쳐 온 것이 대단히 유감스러웠다.[17]

　1년 9개월간의 여행에 늘 좋은 일만 있었던 것은 아니다. 그가 낯선 이방인으로서 이것저것 문화예술품을 예민하게 관찰을 한 결과 정탐꾼으로 오해받아 체포될 뻔한 적도 있으며[18] 때론 밀수꾼

17 앞의 책, 36쪽. 18 앞의 책, 48–55쪽 참조.

으로 내몰려 경찰로부터 심문을 당하기도 했다.[19] 나폴리항에서 배를 타고 시칠리아를 여행했을 땐 역풍 탓에 며칠간 심한 뱃멀미로 고생했고, 나폴리로 돌아갈 때도 심한 폭풍과 표류를 겪었다.

그러나 그는 어떠한 경우에도 굴하지 않고 지대한 호기심으로 자연과 예술, 문화에 다가갔다. 그는 세 번이나 베수비오 화산의 분화구와 분출하는 용암을 보기 위해 위험을 무릅쓰고 증기가 피어오르는 곳으로 다가갔다. 분화구 속에서 커다랗게 우르릉거리는 소리가 나다가 수천 개의 돌덩이가 공중으로 마구 치솟는 광경도 목격했고, 화산재를 뒤집어쓰고 산 아래로 내려오기도 했다.[20]

장기간 힘든 여행을 한다면 때론 외롭고 쓸쓸할 것이다. 그러나 괴테는 초탈한 성자처럼 답변한다.

> 저녁이 가까이 다가오고 부드러운 대기 속에 몇 점 안 되는 구름이 하늘에서 움직이기보다는 멈춰서 있는 것처럼 보이며 산마루에서 휴식을 취하고 있는 이런 때나, 해가 진 직후에 풀벌레들의 울음소리가 크게 들려오기 시작할 때면, 나는 은거 중이거나 유랑 중이라는 느낌이 들지 않고 이 세상이 내 집처럼 아주 편안하게 느껴진다.[21]

---

19 앞의 책, 153–154쪽 참조 20 앞의 책, 245, 251, 255, 268쪽 참조. 21 앞의 책, 39쪽.

그런가 하면 『젊은 베르테르의 슬픔』에서 베르테르가 작은 풀벌레의 존재를 통해 신의 존재를 유추하듯, 괴테는 볼차노의 이글거리는 태양으로부터 신의 존재를 믿게 되었다고 한다.

볼차노에서 트렌토까지는 점점 더 기름진 계곡이 9마일이나 계속 이어진다. 좀 더 높은 산에서는 자라기 위해서만 애써야 하는 모든 것들이 여기서는 활력과 생기를 띠고 있다. 태양은 뜨겁게 이글거리고 우리는 또다시 신의 존재를 믿게 된다.[22]

그는 새로운 세계의 자연과 문화, 예술과 사회에 폭넓은 관심을 쏟으며 견문을 넓히고 내적 성숙을 위해 끊임없이 노력했다. 먼 거리는 마차로, 그렇지 않으면 도보로 수많은 유적지를 찾아다니며 관찰하고 스케치했다(당시엔 카메라가 없어, 괴테는 예술작품이나 문화유적 및 자연경관을 스케치하느라고 많은 시간을 보냈다).

그리고 동식물과 생태계, 해양생태계, 자연과 예술작품, 문화유적, 고대 건축물 등을 정밀하게 관찰하고 특히 아름다운 자연 환경과 르네상스 시대에서 전승된 예술작품에 열정을 숨기지 않았다.

---

22 앞의 책, 38쪽.

또한 여행 가운데서 쉼 없이 문학적 착상을 하고 편지와 글을 썼으며, 광석과 예술품을 수집하고, 식물을 연구했다. 괴테는 여행의 목적이 자기 인생의 '재발견'이라고 했다.

> 내가 이처럼 놀라운 여행을 하는 목적은 나 자신을 기만하려는 것이 아니라 내가 보는 대상들에 비추어 나를 재발견하자는 것이다.[23]

괴테는 자신의 여행이 자기 인생의 새로운 탄생이라고까지 했다. 1786년 12월 3일 로마에서 쓴 기행문의 한 대목을 보면 이 여행을 통해 세상을 바라보는 그의 시각이 달라졌음을 알 수 있다.

> 원래가 작고 또한 작은 것에 익숙해져 있는 우리가 어떻게 그런 고상한 것, 거대한 것, 완벽한 것들과 비견될 수 있겠는가.[24]
> 내가 로마 땅을 밟게 된 그 날이야말로 나의 제2의 탄생일이자 나의 진정한 삶이 다시 시작된 날이라고 생각된다.[25]

그는 여행이 변화, 인생의 재발견, 새로운 탄생을 불러오는 사건임을 여실히 보여준다. 특히 외국에서 처음 만난 장소는 엘리아데

---

23 앞의 책, 69쪽. 24 앞의 책, 196쪽. 25 앞의 책, 196쪽.

(Mircea Eliade, 종교학자이자 문학가)가 밝히듯 결코 잊히지않는, 성스러운 공간으로까지 승화될 수 있다. 엘리아데는 이렇게 말한다.

> 다른 모든 장소와 질적으로 구별되는 특권적인 장소, 즉 한 인간의 탄생지라든가, 첫사랑의 장소라든가, 젊은 시절에 처음으로 방문한 외국 도시라든가 하는 곳들이 있는 것이다. … 그곳들은 마치 그가 자신의 일상적인 생활에서 참여하는 현실과는 다른 현실의 계시를 그곳에서 받은 것처럼, 그의 사적 우주에 있어 '거룩한 장소'가 된다.[26]

〈캄파냐에서의 괴테(Goethe in the Roman Campagna)〉
빌헬름 티슈바인(Wilhelm Tischbein, 1751~1829)

---

26 M.엘리아데, 이동하 옮김, 『성과 속』, 학민사, 1996, 22쪽.

로마를 떠나 귀국길에 오르는 그의 아쉬운 마음은 추방당해 로마를 떠나는 마음을 노래한 '오비드의 비가'와 같다.

로마에서 보내는 이 마지막 밤,

슬픈 그 모습 내 마음속에 아른거린다.

소중한 것 그토록 많이 남겨준 밤을 생각하니,

지금 나의 두 눈에선 한줄기 눈물이 흘러내린다.

어느새 인적도 끊기고 개 짖는 소리도 그친 가운데,

달의 여신이 하늘 높이 밤 마차를 몬다.

달을 우러르자 눈에 들어오는 카피톨리노 신전,

우리의 수호신이 부질없이 가까이에서 지켜주고 있구나.[27]

💬 여행철학의 행보

오늘날처럼 여행이 누구에게나 보편화된 때, 인문학(철학)이 '고전인문학(고전철학)'에만 머물러 있을 수 없다. 앞서 논의한 '호모 비아토르'만 해도 여행에서 철학의 필요성이 충분히 전제된다.

---

27 J.W.von 괴테, 박영구 옮김, 앞의 책, 709쪽.

그 외에도 여행이 필요하고 절박한 경우를 몇 가지 더 떠올릴 수 있다.

여행은 휴양과 깊이 연루되지만 다른 요인도 많이 있다. 심기일전하기 위해, 재충전하기 위해, 무거운 일상의 짐을 내려놓기 위해, 극기훈련(克己訓練)하기 위해, 인생의 행로를 반성해보고 궤도를 수정하기 위해 등 수없이 많다. 여행과 여행의 철학에 관한 절박성을 크게 네 가지 항목으로 나누어 생각해보자.

첫째, 여행객들이 도처에 흘러넘친다. 세계 주요 도시와 명소는 일 년 내내 여행객으로 붐비고, 여행에 관한 인지도는 매우 높아졌다.

내가 독일에서 10년 이상 거주하며 알게 된 것은 독일 노동자들이 일 년 내내 고대하는 것은 유급휴가라는 것이다. 노동에서 해방되어 자유롭게 휴가지로 떠나는 것이 가장 기다려지는 것이다. 휴가 기간이 6주 안팎이나 되어 부러울 따름이었다. 이들은 휴가를 따뜻한 지중해 나라로 많이 가고, 남태평양이나 동남아시아의 나라들에도 끊이지 않고 간다.

둘째, 우리 사회가 피로사회이고 갑질 당하는 사회이기 때문이다. 사람들은 부당하고 비민주적 사회에서 극심한 스트레스와 피로를 앓고 있다. 여행은 정신적 고통을 해소하고 머리를 식히며 질병의 덫에서 벗어나기 위함이다.

생존경쟁이 치열한 데다 승자독식이 판을 치는 사회, 부당하고 불공정한 사회에서 받는 스트레스는 이루 말할 수 없다. 이 사회에서 모두 피로하고, 다 놓고 쉬고 싶고 떠나고 싶어한다. 하지만 그럴 수 없다.[28] 오늘날 사람들은 쉬지 못하고 다시 피로한 사회의 메커니즘으로 굴러떨어져 스스로를 불사르며 살아야 한다.

심신이 감당할 수 있는 범위를 넘어서면 과부하에 걸리게 되고, 통째로 망가지게 된다. 무엇이 우리를 이토록 옥죄는 것일까. 『피로사회, 우린 왜 아프게 불사르며 살까?』의 저자들은 예리한 필치로 현대인이 겪어야 하는 스트레스와 만성피로며 불안을 그려내고 있다.

설상가상으로 직장사회는 많은 경우 갑질을 당해야 하는 노동현장이다. 돈을 가진 자들이 절대 권력을 휘두르는, 갑질의 횡포가 심한 곳에서 울분과 울화통을 참고 삼키며 살아가는 이들이 얼마나 많은가. 갑질문화의 원류를 찾아 올라가면 권력으로 질서를 잡겠다는 유교가 버티고 있다.

진리나 정의 및 보편성이 권력보다 낮은 위치에 처해 있다면, 독재와 독선이 얼마든지 설치고 다닌다. 왕은 천자이고 천자는 진리나

---

28 과학동아 디지털 편집부 저, 『피로사회, 우린 왜 아프게 불사르며 살까?』, 동아사이언스, 2013, 3쪽.

정의보다 더 높으며 생명까지도 마음대로 좌지우지하는 것이다. 무지하고 도덕적으로 문제 많은 이가 권력을 쥐면 어떤 결과가 되는지, 역사를 통해 잘 드러난다. 조선시대 사대부들이 가졌던 권력을 오늘날 저질 자본주의의 시대엔 돈을 가진 자들이 쥐고 있다.

경쟁과정에서 인간다움과 인간성, 인격은 폐기되고 수단과 방법을 가리지 않고 부를 축적하는 야비한 꼼수만 고착화된다. 승자독식구조에서 승리한 자들은 타자를 도구나 상품으로 인식한다.

갑질행세엔 인간의 인격과 존엄성(칸트가 그토록 강조하는 것, 즉 인간을 수단으로 삼지 말라는 것)이 없다. 갑질하고 갑질 당하는 노동사회에서 주인과 머슴(혹은 노예)의 위치에 있는 양측은 올바른 변증법의 기반마저 되지 못한다.

슈퍼갑질의 횡포는 사회 구석 구석에 스며들어 구성원 상호 간의 유대와 친밀성을 차단하고 분열과 위화감을 조성한다. 부당한 갑을관계는 직장사회는 말할 것도 없고 권력사회, 유통업계, 아파트경비원에 이르기까지, 법당이나 교회, 대학사회에도 만연되어 있다. '피로사회'와 갑질의 횡포가 심한 곳에서 살아가고 있다. 살기 위해 여행해야 한다.

셋째, 작고 큰 자유를 추구하기 위해서다. 인간은 자유 없이 살 수 없다. 자유는 칸트에게서 형이상학의 3대 과제(신, 불멸성, 자유)에 속할 만큼 중요한 비중을 차지한다. '해탈'도 궁극적인 자유를 의미하고, 예수도 인간에게 '다시는 종의 멍에를 지지 말 것(신약성서)'을 가르친다.

여행은 무엇보다도 자유와 관련 있다. 고단한 일상의 올무에서 벗어나는 것은 짤짤한 자유를 만끽하는 것이다. 여행을 통한 '제2의 탄생'을 실현한 괴테도 이탈리아를 여행하는 동안 여행이 주는 자유와 기쁨을 언급한다.

내일이면 우리는 나폴리로 간다. 나는 그지없이 아름다울 거라는 새로운 것에 대한 기대감에 가득 차 있으며, 저 낙원 같은 자연 속에서 다시 새로운 자유와 기쁨을 얻고, 여기 엄숙한 로마에서 다시 예술연구에 전념하게 되길 기대한다.[29]

　　넷째, '여행철학'을 통해 건전한 여행문화를 정립하는 것이다. 오늘날 탈선한 관광의 형태가 많기에 우려된다. 과소비와 호화 사치의 향락관광이 성행하고 보신관광이니 묻지마관광, 섹스관광과 같은 저질관광이 판을 치고 있다.

　　해외연수를 빙자한 공직자들의 외유관광, 선거철의 선심관광, 고관나리들과 부유계층의 해외골프여행도 낯설지 않다. 신혼여행에서부터 배낭여행에 이르기까지 여행사의 횡포로 터지는 불상사도 많다. '여행철학'을 통한 올바른 여행문화의 정립이 시급하다.

　　저질자본주의 시대에 돈으로만 여행을 대체하고 향락을 추구하는 관광을 여행으로 착각하곤 한다. 여행지의 자연과 문화, 인간, 풍습 등은 뒷전이고 엉뚱한 것에 마음을 뺏긴다. 괴테는 이탈리아 여행기에서 사육제날의 광란을 꼬집고 저속한 사육제의 익살극과 아름답고 숭고한 자연을 비교하고 있다.

29　J.W.von 괴테, 박영구 옮김, 『괴테의 이탈리아 기행』, 푸른숲, 2002, 238쪽.

지난 며칠 동안은 정말 끔찍하게 시끄러웠을 뿐, 진정한 즐거움은 없었다. 그지없이 맑고 아름다운 하늘은 고상하고 무구한 모습으로 그렇게 저속한 익살극을 내려다보고 있었다.[30]

태도의 변화가 있어야만 '영적 성숙(레이첼 카슨)'을 이룰 수 있고, 영적 성숙이 전제돼야 자연의 속살을 들여다볼 수 있다. 오늘날 다방면에서 향락문화가 심화돼, 건전한 여행문화를 재발견해야하는 것은 하나의 철학적인 과제로 다가온다.

---

30 J.W.von 괴테, 앞의 책, 237쪽.

푸껫여행,
새로운 버전을 찾아

🗨 어떤 절박한 여행

　내 여행의 시발점은 푸껫이다. 푸껫이 첫 해외 여행은 아니다. 유학시절 독일에 12년 반 정도 머물렀고, 거기서도 틈을 내 운치 있는 마을, 고풍스러운 옛 도시, 북독일의 북해도, 남독일의 뮌헨, 네덜란드나 벨기에, 덴마크에 갔었다. 그러나 그때는 공부가 주목적이었고, 여행에 강한 의지와 집념 없이 겸사겸사 둘러본 게 전부다.

　2003년 겨울, 나는 혼자 여행을 떠나야겠다는 욕구를 강하게 느꼈다. 삶이 힘들 땐 머리를 숙이고 끙끙거리는 것보다 고개를 들어 먼 곳을 응시하는 것, 그것만으로도 새로운 희망을 찾을 수 있다. 문명의 때와 지친 일상을 훌훌 던지고 초록의 열대식물과 과일, 꽃향기와 에메랄드빛 바닷물로 온몸을 깔끔하게 씻고 싶었다.

2003년 겨울은 내 인생살이에서 퍽 힘들 때였다. IMF 구제금융 시대라 시간강사 신분으로 은행 대출이 불가능했다. 월세보증금 500만 원을 마련하지 못해 끙끙거리다 겨우 어릴 적 시골동네 친구들로부터 꿀 수 있었다. 끝이 안 보이는 대학 시간강사생활(보따리장수)에 옛 여인은 내 곁을 떠났고 부모님을 편하게 모셔야겠다는 뜻은 이루기 어려워져만 갔다.

그때 나는 시간강사로서 안성과 안양을 오가며 처음엔 주당 8시간의 강의를 했는데, 60만 원 안팎의 강사료로 월세를 떼고 나면 한 달 생활을 버텨내기 어려웠다. 껌팔이 소년이 된 느낌이었다. 그런데 시간강사로서 할 일은 많아 학생들의 성적평가에 중간고사와 기말고사의 답안지가 무려 천 장이 넘고, 과제까지 평가하고 나면 코피가 터지기 일쑤였다.

이런 상황에서 나는 용기가 필요했고, 새 힘이 필요했으며, 현실의 집념들을 떨쳐버리는 발상전환이 절실했다. 새로운 세상과 새로운 버전을 머릿속에 채우고 싶었다. 여행을 결심했다. 새로운 세상이 내 시야를 장악하고 새로운 문화와 자연, 전혀 낯선 것들이 나를 압도하며, 나를 새롭게 만들어줬으면 하는 기대가 있었다.

빈손으로 어디론가 훌쩍 떠나 새로운 인생으로 만들어오면 어떨까. 때 묻지 않은 곳에서 번뇌와 고민, 세상 살면서 쌓인 때를 몽땅 씻고 돌아오고 싶었다. 자연이 연출하는 데로 빠져버리길 바랐다.

나는 태국을 비롯한 인도양의 나라에서 지진해일이 일어나기 1년 전 푸껫여행에 나섰다. 사전 정보나 지식은 없었다. 그저 형편 없는 일상을 탈출하고서 신비롭고 낯선 것으로 채워보겠다는 마음 뿐이었다. 모르는 여행지에 관한 호기심과 설렘이 나를 자극했다. 내 인생의 여로를 곱씹어보고 싶었다.

어둠이 깔릴 때쯤 인천공항의 타이항공은 이륙을 시작했다. 대지를 미끄러지며 요란하게 진동하며 하늘 속으로 들어가는 것은 장쾌한 일이다. 이 이륙에 어린아이처럼 환호를 지르고 싶은 마음 이 불쑥불쑥 생겼다. 한참이나 창밖을 내다봤다. 개미같이 기어 다 니는 자동차도 인상적이었지만, 하늘에서 내려다본 대지는 인간이 그어놓은 국경 같은 걸 비웃는, 인류의 고향이나 터전으로 보였다.

한참 창밖의 어둠을 뚫어져라 보았다. 눈앞에 잡히는 것은 없 어도 어둠은 상상의 나래를 펼 수 있도록 했다. 하늘을 날고 싶어 양초로 만든 날개를 붙여 날아간 이카로스(Īkaros, 그리스신화에서 밀 랍날개를 달고 하늘을 날다가 떨어진 인물. 미지의 세계를 향한 인간의 동 경을 상징한다)를 떠올렸다.

그는 태양 가까이 가지 말라는 아버지의 조언을 무시하고 계속 날다가 태양의 열기에 날개가 녹는 바람에 대지 위로 곤두박질쳐 죽었다. 욕심만 앞서고 준비는 덜 되었던 것이다. 이런 부실한 비행 을 생각해보고, 생텍쥐페리의 어린왕자를 생각해봤으며, 두 날개로

수면을 후려칠 때 물보라가 삼천리에 다다랐다는 『장자』의 〈소요유(逍遙遊)〉 편에 나오는 붕새를 생각했다.

어린왕자가 하늘세계를 누비며 이런저런 소행성을 방문하는 것은 얼마나 신비로운 일인가. 그가 만난 존재자들을 만나보고, 그가 만나보지 못한 새로운 존재자들을 만나보는 것은 놀라운 일이다. 어린왕자가 소행성에서 만난 이들은 비정상적이고 부정적인 사람들이었다. 그렇다면 나는 동양 신화세계에 등장하는 선인(仙人)과 선녀(仙女)가 사는 소행성을 찾아가보면 어떨까.

여전히 비행기 창밖은 아늑한 어둠과 엄청 큰 공허로 덮여 있고, 간혹 별들이 보였다. 얼마 전 읽었던 장자의 『장자』가 떠올랐다. 〈소요유〉 편에 나오는 우화(북쪽 바다에 웅크린 큰 물고기 곤(鯤)이 붕새가 되어 구름과 회오리바람을 타고 구만리장천을 날아 남쪽 나라로 날아가는 것)와 철인 장자가 큰 위안과 용기를 불러일으켰다.

장자와 그의 붕새가 떠오른 것은 내 발등에 놓인 무거운 장애물과 눈앞의 암담한 현실, 불편한 나날들에 굴하지 말고 이를 후려차고서 자유와 초월의 하늘로 날아갈 것을 자극하기 때문이다.

처음엔 장자의 붕새 이야기가 그의 우화로 떠올랐으나, 이윽고 장자가 붕새 같이 보였다. 풍진 세상을 살다 간 그는 참으로 초라한 말단관직, 나라의 칠나무를 돌보는 칠원리(漆園吏)였다. 그의 집안 살림은 누추하고 초라하기 그지없었다. 가족이 짚신을 만드는 부업을 하며 끼니를 겨우 거르지 않는 형편이었다.

그러나 그는 노자와 함께 도가사상의 시조이고, 우리 인류의 스승이라고도 할 수 있는 위대한 철인으로, 어떤 경우에도 속박되지 않고 초연하며 자유로웠다. 장자는 노자와 같이 도(道)를 만물의 근본원리로 보았다. 그들에게 도는 천지가 있기 이전부터 존재한 우주 발생의 근본원리였다. 도는 하늘과 땅이며 만물이 생겨난 원인이고, 만물이 움직이는 근본원리이니 도에 상응하는 인간의 도리는 무위자연(無爲自然)을 실천하는 것이다.

장자는 생애를 바쳐 무위자연의 도를 실천하는 삶을 살았다. 그는 권세나 부귀를 티끌같이 여겼고, 죽음마저도 도의 작용과 자연의 섭리로 여기며 마음의 평정과 자유를 잃지 않았다. 그는 구만리장천에서 노니는 붕새처럼 세속적인 것에 얽매이지 않고 절대자유의 경지에서 살았다.

그러나 지상의 미물에 결코 비교되지 않는, 붕새 같은 장자를 세상은 알아주지 않았다. 세상사의 이런 가혹하고 비정한 몰지각은 오늘날에도 비일비재 하다. 내용을 갖추지 못한 빈껍데기들이 수단과 방법을 가리지 않고 장자가 있는곳을 빼앗는 것이 야만사회이다.

장자가 〈소요유〉에서 지적하듯 매미와 비둘기가 한통속이 되어 붕새를 비웃는다. 이들은 스스로 얽매인 것을 모를 뿐만 아니라 자신들의 무능력을 앞세워 초능력자인 붕새를 비웃는다. 매미와 비둘기는 자신들이 나무에도 오르기 힘들어 가끔 미끄러지고 떨어진다는 것을 빌미로 구만리 창공을 날아가는 붕새를 비웃는다.

우리는 펄쩍 날아올라 느릅나무와 박달나무에 솟구쳐 오르되, 때로는 거기에도 이르지 못하고 땅에 떨어지기도 하니, 무엇 때문에 구만리 나 올라가 남쪽 끝까지 가는가?[31]

---

31 장자, 최효선 역해, 『莊子』, 고려원, 1994, 16쪽.

붕새의 비상을 조롱하며 지상에서 웅성대는 작은 미물 매미와 비둘기, 뱁새의 모습이 적나라하게 드러난다. 이들은 지상의 관목 덤불과 잡초 사이를 뒤척이는 것을 세계의 전부로 여기며 초월적 세계를 비웃어댄다. 무지와 무능력을 부끄러워하기는커녕 구만리 장천의 자유세계를 소요하는 거장과 초월자를 조롱한다.

천재시인 천상병의 수난은 위의 사례에 적합하다. 천상병 시인이 독일에 다녀온 친구에게서 막걸리 한잔 얻어 마신 것을 빌미삼아 '동백림사건'에 연루된 것으로 몰아붙이고 고문해 그 후유증으로 죽게 만든 것이 당대의 정치권력이다.

붕새는 여러 상징일 수 있으나, 분명한 것은 상식의 세계를 초월해 무한의 시공으로 비상하는 초월자라는 것이다. 장자와 함께 남쪽 나라로 가기 위해서 지상의 모든 잡스러움과 시끄러움, 보잘것없는 세계관을 초월해 자연 세계를 활보할 수 있는 넓은 가슴을 지녀야 한다. 장자와 그의 붕새를 성찰하면서 이 나그네는 자유를 얻었다. 『장자』를 번역하고 주석한 최효선 선생의 말이 와 닿는다.

> 장자의 초월자는 세상의 모든 상처받은 자, 학대 받는 자, 추하고 천한 자의 구원과 해방의 복음이기도 하다.[32]

---

32 장자, 최효선 역해, 『莊子』, 고려원, 1994, 111쪽. 강조는 필자에 의한 것임.

장자의 메시지와 삶을 통해 자유의 날개를 얻은 것 같았다. 마른 가지에 물오르듯 신비한 힘과 용기가 차오르고 있음을 느꼈다. 여로에서 발걸음을 옮기며 극복해보자는 나의 암담한 현실을 미리 선취해 해방감을 맛본 것 같다. 지상의 답답한 현실은 다 털어버리고 장자의 붕새처럼 남쪽 나라로 날아가자!

💬 남두육성

깊은 밤 적막 가운데 숙소를 향해 가는 버스 밖의 열대림은 남국의 정취를 강하게 불러일으켰다. 내가 묵을 리조트는 언덕 위에 있었는데, 언덕 아래에서 내려 걸어서 올라갔다. 걸어 올라가다 뒤를 돌아봤다. 크고 또렷하게 포착되는 6개의 별이 눈앞에 나타났다.

남두육성(북두칠성을 닮은 6개의 별로 궁수자리에 속한다)이 온 생명을 주관하는 별로서 자신을 드러내고 있었다. 멀지 않고 높지 않게, 남쪽 하늘을 장악하고 있었다. 저 별은 고구려인이 흠모하여 고

---

33 사숙도란 하늘세계에서 사방을 방위하고 보살피는 별자리를 말한다. 여기서 네 방위 별자리(四宿圖)는 북두칠성과 남두육성을 남북의 방위별자리로, 동쪽은 태양, 서쪽은 달을 천문시스템으로 구축한 것을 말한다.

분벽화에까지 그려 넣었으며 북두칠성과 쌍벽을 이루고, 해와 달을 합해 하늘의 네 방위신 역할을 하는 사숙도(四宿圖)[33]의 일원이다.

남두육성은 세상 모든 생명체의 생명을 주관하는 별이고 남녘을 지키는 방위신이다. 북두칠성, 해와 달에 비해 위상과 존엄성이 덜 알려진 것 같다. 이번 여행에서 그리고 이후 남두육성의 의미를 다시 생각해 볼 것을 다짐하며 리조트 정원 안으로 들어갔다.

아름다운 정원에 처음부터 매료되었다. 플루메리아의 꽃향기가 은은하게 퍼졌고 야자수를 비롯한 아름다운 정원수가 분위기를 압도했다. 정원 가운데 있는 수영장은 계단식으로 물이 계속 흐르며 등불과 정원수와 어울려 밤의 정취를 아름답게 엮어갔다.

이토록 아름다운 시공(時空)에 잠들 수 없었다. 후다닥 짐을 풀고 정원으로 나갔다. 남두육성은 이쪽으로 별빛을 발산하고, 나그네는 남국 어느 정원에서 아름다움과 신비에 도취해 이리저리 걸음을 옮긴다. 엘리아데가 한 말이 떠오른다.

다른 모든 장소와 질적으로 구별되는 특권적인 장소, 즉 한 인간의 탄생지라든가, 첫사랑의 장소라든가, 젊은 시절에 처음으로 방문한 외국 도시라든가 하는 곳들이 있는 것이다.

…

그곳들은 마치 그가 자신의 일상적인 생활에서 참여하는 현실과는

다른 현실의 계시를 그곳에서 받은 것처럼, 그의 사적 우주에 있어

'거룩한 장소'가 된다.[34]

🗨 팡아만과 코타푸

이튿날은 그 유명한 팡아만으로의 여행이다. 그쪽으로 이동하는 버스가 오기 전 아침식사를 마쳐야 한다. 뷔페식 아침식단엔 낯선 음식이 가득했다. 남국정서가 풍기는 음식으로 식사하는 것도 여행에서 누릴 수 있는 기쁨이다.

이름 모를 새 두 마리가 노래를 시작했다. 사람을 겁내지 않고 가까이 오니 더욱 정겹다. 뭐라고 계속 노래하는데, 자신들끼리 하는 소통인지, 우리를 위한 노래인지, 통상적인 노래인지, 의미심장한 메시지인지 알 수 없다. 새들의 노래에 감탄하며 팡아만으로 향했다.

팡아만의 선착장에 기대와 호기심으로 가득 찬 사람들이 술렁이기 시작했다. 맹그로브숲 사잇길과 작은 수로를 지나기 때문인지 폭이 좁고 길쭉한 보트를 탔다. 보트는 수풀이 우거진 수로를 곡예

---

34 M.엘리아데, 이동하 옮김, 『성과 속』, 학민사, 1996, 22쪽.

를 부리듯 나아갔다. 목적지인 '제임스본드섬'으로 가는 길목엔 엄청난 맹그로브숲이 우거진 섬과 기묘하게 생긴 바위섬들, 아찔한 절벽의 섬들이 나타난다.

거의 모든 배는 제임스본드섬을 품고 있는 섬의 뒷면으로 접근하는데, 섬을 보호하려는 현명한 의도인 것 같다. 배에서 내려 몇 걸음만 옮기면 저 기묘한 섬이 우뚝 나타난다. 제주도 서귀포에

있는 외돌개와도 유사하나 가분수 모양을 하고 바위섬의 상부엔 식물들이 진을 치고 있다.

  제임스본드섬의 본래 이름은 코타푸, 타푸는 태국말로 '못'이므로 우리말로 옮기면 못섬이다. 코타푸를 주 무대로 한 '007 가방을 든 사나이'라는 영화가 히트 친 이래로 섬 이름이 제임스본드섬으로 바뀌었다.

　　영화에서 비밀스러운 아지트 역할을 하는 공간은 실제 코타푸에는 없다. 아름다운 것은 성스러운 것으로 변한다는 시인 휠더린의 시적 통찰에 걸맞은 곳이 코타푸이다.

🗨 신비한 선착장

　　코타푸를 끼고 있는 섬 전체가 아름답다. 오솔길을 따라 왼편 언덕으로 오르면 저쪽 바다가 또 나타난다. 아주 정답게 생긴 선착장이 나타나고, 바다 가운데 아름다운 섬들이 자태를 드러낸다. 선착장 주변의 깨끗한 바닷물은 잔잔한 물결을 이루며 행인을 유혹

한다. 바닷가는 모래로 채워져 있고 절벽바위들이 해변과 연결되는데, 생명력이 강한 식물들이 절벽에 대롱대롱 달려 있다.

주변엔 어떤 배도 정박해 있지 않고 오가는 배도 없다. 나는 선착장에서 바닷물에 발을 담그고 바다 넘어 인형같이 생긴 섬들을 바라보았다. 아름다운 풍광과 기기묘묘한 섬들 때문에 이상한 생각을 하게 됐다. 이 선착장은 사람들이 육지로 돌아가고 난 뒤에 그리고 온 세상이 고요해졌을 때 피안으로 가는 배가 정박해 영혼들을 싣고서 남국의 어느 '행복한 섬'으로 가는 곳으로 여겨졌다.

나는 신비로움에 압도되어 상상의 나래를 펴면서 귀로에 올랐다. 나의 넋을 완전히 빼버린 팡아만여행은 감격과 경탄으로 와 닿았고, 이 감격과 경탄을 평생 기억하리라고 기대하며 왔던 길을 되돌아갔다. 남국의 석양은 아름다운 광채를 바다 위로 떨어뜨리는데, 광채의 축복을 받으며 팡아만에 작별을 고했다.

🗨 피피섬, 사물과 교감

팡아만과 비길만한 곳이 또 있을까 하고 반신반의하며 피피섬으로 향했다. 팡아만의 아름다움에 겨워 미몽 가운데 헤매고 있었고, 그 아름다움을 다 소화하지 못한 상태였다. 그와 같은 아름다움이 또다시 나를 습격한다면 어떻게 감당할 것인가. 인식의 과부하와 신비의 나락에 빠지는 것이 두려웠다.

1시간가량 항해를 했을까, 눈앞에 또다시 섬이 나타났다. 아무리 남국의 열대라지만 어찌 이리도 아름다운 섬이 많단 말인가. 에메랄드빛에서 진초록빛 그리고 코발트색까지 다채로운 푸른빛이 지천으로 널려 있다.

점심식사 후에 피피레와 피피돈의 무인도로 떠나는 스케줄이 잡혀 있었다. 나는 피피섬 바다에서 정신 나간 사람처럼 수영했다. 가끔씩 머리를 통째로 물속에 넣으면 이때껏 일상에서 쌓았던 피로들이 떨어져 나가는 것이 느껴졌다.

12시쯤 무인도로 떠나는 제트보트 선착장과 가까운 야자수 수풀 아래에서 풍성한 해산물 요리로 점심식사를 했다. 마음의 준비

를 하고 제트보트에 올라탔다. 옛날 해적들이 머물렀다는 해안절벽 굴 앞을 지나고 또 수직으로 바다 위에 우뚝 선 절벽바위섬 등을 지나 U자 모형의 자석처럼 생긴 해안에 도착했다.

　　U자 밖은 깊고 검푸른 바다이고, U자는 절벽바위와 기암괴석으로 이루어져 있다. U자 안의 바다와 해안은 아름다운 코발트빛깔의 물로 채워져 있고, 때론 에메랄드빛으로도 보였다.

　　해안의 백옥 같은 모래는 너무나 부드럽고 흰 빛을 띠고 있어 그저 보석같이 여겨진다. 이 백옥 같은 모래가 깔려 있는 작은 오솔길 가엔 엄청 자란 문주란을 비롯한 난초들, 선인장들, 넓은 잎의 상록수들이 진을 치고 있다. 이 오솔길을 따라 안으로 들어가니 자연스레 형성된 야생정원이 펼쳐진다. 마치 요정에 홀려 끌려가듯 이 오솔길을 따라 안으로 또 안으로 들어갔다. 원시의 수목들이 장관을

이뤄 그 자태를 뽐내고 있는데, 마치 타잔의 휴식공간인지 혹은 환상의 나라인 '나니아 연대기'의 정원인지 구분을 할 수 없다.

호기심에 가득 찬 눈망울로 이리저리 서성이고 있는데 바위산 가운데 터널이 뚫린 게 보인다. 조심조심 이 터널을 지나가니 바다 위에 예쁜 곰 인형 같은 작은 섬이 나타난다. 너무 놀라와 '아!'하며 고래고래 소리를 지르고 싶은 마음이 불쑥 솟았지만, 저만치 뱃사공과 아이들이 조그만 통통배에서 일을 하고 있다. 소름끼치도록 아름다운 풍광에 넋 나갈 정도로 아찔해질 따름이다. 이토록 몽롱하게 만드는 저 자연의 위력이 무엇인지를 아무리 곱씹어도 헤아려지지 않는다.

시간의 흐름을 망각하게 한 피피섬에서의 놀라운 체험은 나의 뇌리에 하나의 아름다운 영상이 되어 깊이 저장되었고, 아무리 힘들 때도 이 아름다운 체험이 하나의 고귀한 자산으로 되어 세파의 시련을 막아주는 요새의 역할을 했다. 첫 번째 시도된 나의 푸껫여행은 나의 마음에 큰 자부심으로 자리 잡게 되었다.

두 번째 푸껫,
카이로스의 시간

　'두 번째 푸껫여행'에서는 좀 더 미학적 · 철학적 사유와 함께 피피섬을 여행한 내용을 담고 있다. 푸껫의 자연 가운데 하이데거의 피지스[35] 사유를 음미해볼 것이다. 하이데거의 피지스에 관한 사유는 자연을 대하는 방식이 근대철학 및 후설(Edmund Husserl, 현상학파를 창설한 철학자)과는 다르다.

　근대는 자연을 죽어있는 물질덩어리로, 인간에 의해 임의로 구성(Konstruktion, 후설에게서는 Konstitution)되는, 무장해체된 존재로

35　피지스(Physis)란 고대그리스의 원초적 자연개념인데, 자기 스스로 자신을 펼치고 전개하는 그런 자연으로서 영어의 Nature과는 차원이 다른, 노자의 '스스로 그러함(自然)'에 가까운 용어이다.

보고 있다. 이런 인간의 태도는 인식론적 현상학에 치중한 후설(비록 근대의 자연관을 많이 극복했지만)에서도 별반 다를 게 없다.

그래서 이 장(章)에서는 근대적 자연관과는 전혀 다른, 말하자면 사물과의 교감을 역설하는 하이데거의 피지스 사유를 음미해본다. 이어서 하이데거의 공간 토폴로지(위상기하학, 변형하더라도 변하지 않는 성질을 연구하는 기하학)에 관한 사유에 따라 피피섬의 장소성을 밝히고, 마지막으로 자연과 교감하고 감응하는 현상을 〈경이로운 시공의 체험〉를 통해 카이로스적 시간[36]으로 체험할 것이다.

🗨 남국의 정취를 찾아

남태평양과 동남아시아를 수차례 여행하고 그 아름다움과 감격을 벗들에게 이야기하자, 벗들은 내가 건 마법에 걸리기라도 했는지 꼭 한 번 같이 여행하자고 했다. 내내 남국의 열대에 관한 호기심으로 가득 찬 그들의 반응에 나는 퍽 고무적이어서 이곳저곳 물색해보았다. 그리고 팡아만과 피피섬을 동시에 볼 수 있어 늘 감동으로 남아 있는 푸껫을 선택했다.

---

36 이 장(章)의 일부는 『존재론 연구』(제35집, 한국하이데거학회)에 발표한 것임을 일러둔다.

어느 겨울, 1차 푸껫여행을 한 지 약 7년 후에 나는 설레는 마음으로 푸껫여행에 나섰다. 늘 유학했던 곳에만 왕래한 벗들도 호기심과 기대에 부풀어 인천공항에 나타났다. 우리가 탄 비행기는 창공에 미끄러지듯 서남쪽으로 날아, 깊은 밤 푸껫공항에 도착했다. 리조트는 아늑하고 조용하며, 전망이 대단한 데다 아담한 열대 정원, 우아한 수영장, 수려한 주변경관이 우리 일행을 사로잡았다.

밤이 깊었지만, 약속이라도 한 듯 우리는 리조트의 정원에 나와 조명등에 비친 열대의 나무들을 보면서 감탄했다. 수영장 너머로 보이는 바다며 밤하늘과 선명한 별들을 바라보았다. 이 기쁨을 만끽하기 위해 잠들기 전 간단하게 한잔하기로 했다.

💬 사라진 선착장

두 번째 푸껫여행엔 두 번째 팡아만여행과 두 번째의 피피섬 여행도 자동으로 끼어 있다. 두 번이 아니라 백 번을 봐도 또 보고 싶은 곳이 아닌가. 화가는 같은 풍경도 시시때때로 그 인상이 다름을 잘 포착하곤 한다.

인상파 화가 모네가 그린 그림, 〈루랑대성당〉은 시시때때로 다름을 잘 드러낸다. 시간과 계절에 따라, 보는 각도에 따라(같은

각도에서 보더라도) 달리 보이는 모습이 고스란히 캔버스에 잡힌 것
이다. 실제로 1893년에 그린 〈새벽의 루앙대성당〉과 같은 해에 그
린 〈한낮의 루앙대성당〉은 닮았지만 다른 작품이다.

클로드 모네(Claude Monet, 1840~1926)
〈루앙대성당(Rouen Cathedral)〉 연작

　루앙대성당과 비교할 수 없을 정도로 넓고 큰 팡아만과 피피섬
의 모습에서 백 번 보아도 백 번 다른 인상을 받게 된다. 나는 기억
에 담았던 팡아만을 대조해 본다고 허둥댔다. 절벽바위섬이 수직으
로 바다에 내리꽂힌 모습은 위엄과 아름다움을 동시에 발산했다.

　그런데 지난 여행에서 내 사유의 세계에 끊임없이 기웃거리던,
바다로 길쭉하게 연결된 선착장이 보이지 않는다. 세상과 피안을
묘하게 연결하고 세상이 고요하게 잠들어 있을 때 아름다운 영혼들
을 태워 남국의 어떤 피안의 낙원으로 데려가는 곳으로 여겨지지

않았던가. 그 오묘한 선착장이 사라졌다. 없어진 자리를 멍하니 바라보다 뱃사공에게 물었다. 자연환경에 반한다고 철거했다고 한다.

이해되지 않아 고개를 갸우뚱거렸다. 그것은 자연을 거스른 것 같아 보이지 않았다. 단지 좀 낡았는데, 더는 보수하지 않은 것으로 여겨진다. 어차피 배들이 이곳에 정박할 선착장은 필요하며, 지금도 이 섬의 중앙지역에 선착장을 만들고 있지 않은가.

모든 문명이나 인공물이 다 자연에 반하는 것은 아니다. 자연에 얼마나 어울리고 조화하느냐가 중요하다. 인간은 어차피 문명이나 인공물 없이 살아갈 수 없다. 인간이 지상에 존재한다는 것 자체가 최소한의 문명이나 인공물을 필요로 하는 것이다.

그러나 문명을 일군다고 자연에서 멀리 떨어져 나가면, 인간에게 불행이 닥칠 따름이다. 오늘날 인류의 위기는 곧 환경위기이고 생태계의 위기인데, 이는 자연을 심히 거슬러 자연을 정복하겠다는 인간의 탐욕에 기인한다. 인간의 가장 큰 불행은 그가 자연의 일부임라는 것을 부인하고 자연의 일부로 살지 않는 것이다.

그 신비한 선착장을 떠올리며 나는 떠나야 했다. 코타푸에 아쉬움을 남긴 채 팡아만의 출항지를 향해 나아갔다. 열대의 바다를 달구는 태양은 아름다운 자태를 흩뿌리며 우리를 매혹했다. 조물주의 조각품 같은 많은 바위섬에 손을 흔들며 인사하고, 맹그로브 수풀에도 잘 지내라고 거듭 부탁하며 팡아만에 작별을 고했다.

🔵 피피섬, 색의 신비

피피섬에 갈 때는 인간주체중심적인, 오만한 근대적 자연관을 버려야 한다. 피피섬의 피지스를 고찰하는 데 고대 그리스인들이 가졌던 경이의 체험을 떠올릴 필요가 있다. 철학의 탄생도 경이부터라고 하지 않았던가.[37] 우리는 경이를 불러일으키는 아름다운 질서(κόσμος)를 세계 내부에서, 하늘과 호흡하는 공기며 태양과 별들에서, 많은 섬에서, 초록의 숲에서, 땅과 대양에서 경험할 수 있다.

피피섬에 펼쳐진 신비한 색채의 기본 구성요소는 산호와 밝은 색의 모래 그리고 무엇보다도 햇빛이다. 같은 산호의 모래인데도 어떤 땐 엷은 코발트색이 우러나며, 때론 연초록의 에메랄드색이 드러난다. 두 가지 색이 적당히 섞인 경우도 있다. 피피섬에서도 무인도인 피피래섬 주변에서도 그런 색을 볼 수 있다.

피피레로 가는 뱃길엔 거친 바람과 파도에 밑동이 깎인 절벽 바위들이 야성미를 자랑하며 파노라마처럼 나타난다. 이런 바위 위에서도 아랑곳하지 않고 무성한 정글을 이룬 열대림이 생명력을 자랑한다.

---

37 Ritter Joachim(Hrg.), *Historisches Wörterbuch der Philosophie*, Schwabe: Basel/Stuttgart 1984, '경이(Staunen)' 참조.

U자 형태 절벽바위로 둘러싸인 피피레섬에 도착하자, 절벽바위로 둘러싸인 바다는 자연 수영장이고 주변의 빼어난 경관과 열대림이 어울려, 선경(仙境)의 선녀들이 사용하는 것으로 여겨졌다. 바다에서 정신 나간 사람처럼 수영하고 청아한 색의 물을 손바닥에 담아보기도 했다.

온몸을 물속에 넣으며 자연이 베푸는 세례에 감격하면서 내 몸에 찌든 문명의 때와 일상에서 쌓았던 피로가 떨어져 나가기를 염원했다. 신비한 색은 치료하는 힘도 갖고 있다. 빈센트 반 고흐의 작품에도 나타나지 않는가!

반 고흐는 '광적인 열정을 가진'[38] 화가이고 강렬한 빛과 색의 예술가이다. '아, 나는 다시 광명의 마력에 홀린 것 같다.'[39]고 그는 동생 테오에게 보낸 편지에서 밝힌다. 그가 남프랑스의 아를에 정착한 것도 눈부신 햇살과 자연의 순박한 색채에 반했기 때문이다. 그는 '천상에서나 볼 수 있을 듯한' 색의 세계를 응시한다.

> 이곳의 자연은 정말 아름답다. 모든 것이, 모든 곳이 그렇다. 하늘은
> 믿을 수 없을 만큼 파랗고, 태양은 창백한 유황빛으로 반짝인다. 천상

---

38 빈센트 반 고흐, 신성림 옮김, 『반 고흐, 영혼의 편지』, 예담, 2001, 17쪽.
39 앞의 책, 227.

에서나 볼 수 있을 듯한 푸른색과 노란색의 조합은 얼마나 부드럽고 매혹적인지.[40]

빈센트 반 고흐(Vincent van Gogh, 1853~1890)
〈삼나무가 있는 밀밭(Wheatfield with Cypresses)〉

고흐가 말한 푸른색과 노란색의 조합이 적절하게 뒤섞이는 경우라면 '천상에서나 볼 수 있을 듯한' 연초록색이 탄생한다. 피피섬의 도처에서 볼 수 있는, 태양빛과 산호와 모래가 만들어내는 투명한 빛이다.

---

40 앞의 책, 200쪽.

　드라큘라 백작 전설도 떠오른다. 루마니아 브란성에서 20대의 젊은 나이로 영원한 생명을 누리고 있는 그의 비밀은 헤르메스가 만든 '에메랄드 평판(물질과 정신을 변화시키는 공식이 담겨 있다는 연금술 문헌)'에 있다. 에메랄드빛(연초록색)은 천상의 색이며 영원의 색인 것이다.

　태양빛과 산호와 모래가 만들어내는 마법엔 코발트색(연하늘색)도 있다. 고흐 역시 코발트를 '아주 신비로운 색'이라고 했다. 그는 빛과 색 자체의 신비로운 힘, 즉 색 자체의 본성과 신비를 꿰뚫어 보며, 이를 절묘하게 사용해 자신의 예술세계를 구축했다.[41] 그는 색이 드러내는 마법적인 속성과 힘을 읽고 있었다.

41　앞의 책, 93쪽 참조.

요즘은 양홍색과 코발트색에 푹 빠져있다. 코발트는 아주 신비로운 색으로, 사물 주변에 분위기를 만들 때 이보다 더 적합한 색은 없지 싶다. 카르민은 포도주의 붉은색으로 따뜻한 느낌을 주며 포도주처럼 강렬하다. 에메랄드그린도 마찬가지다. 이런 색을 사용하지 않는 것은 어리석은 절약이다. 카드뮴색(노란색 계열)도 마찬가지다.[42]

고흐가 피피섬의 해변에 전개되는 원초적인 색의 에메랄드빛과 코발트색의 바다, 순백의 모래, 강렬한 태양과 짙푸른 열대림을 보았다면 그의 말대로 '천상에서나 볼 수 있을 듯한', 원초적인 색채들 앞에서 전율했을 거라고 짐작해본다.

횔덜린은 백조가 머리를 담그는 넥카강물을 '성스럽고 근엄한 물(das heilignüchterne Wasser)'[43]이라고 표현했는데, 피피섬에서도 성스러운 것과 초자연적인 것을 목격할 수 있다. 피피섬의 존재 자체가 초지상적이고 초월적인 것이기 때문이다.

대양의 심연을 가진 오케아노스(Okeanos, 바다의 신)가 쉴 새 없이 으르렁거리지만, 대지의 여신 가이아는 어엿하게 얼굴을 내밀고 있다. 피피섬을 존재하게 한 성스러운 창조주는 오케아노스

---

42 앞의 책, 134쪽. '색의 힘'에 대해선 165쪽 참조. '색에 대한 탐구'며 색을 혼합하거나 대조하여 신비로운 그 무엇을 표현하는 것에 대해선 앞의 책, 196쪽 참조.

43 횔덜린의 시(詩) 〈Hälfte des Lebens〉 참조.

가 피피섬을 삼키지 않도록 불철주야 지키고 있다. 피피섬에 밤이 오면 오케아노스의 위협이 더 거세지겠지만, 하늘의 별들이 지키고 보살피고 있으며, 생명의 축복을 선사하는 남두육성[44]이 초롱초롱한 눈망울로 굽어살피고 있다.

또한 '가장 아름다운 것은 가장 성스러운 것'[45]이란 휠더린의 시구(詩句)에 따라 피피섬은 그 아름다움이 극에 달해 성스러운 경지에 이른 것이다.[46] 이런 경지를 카스파 D. 프리드리히는 자연에 대해 숭경심으로 가득 찬 〈뤼겐섬의 백악암〉을 통해 잘 대변해주고 있다.

어떤 지역은 영적 기운이 감돈다. 경탄과 숭경심이 우러나오는 그런 장소이다. 보라보라섬이나 모리셔스섬 같은 곳, 세도나 같은 곳, 영산(靈山)이라고 칭해지는 산이 다 그런 곳이다.

---

44 고구려의 고분벽화에도 선명하게 남아 있는 남두육성은 한국인의 오랜 전승에서 인간의 삶을 주관하고, 장수를 다스리는 별자리로 알려졌다. 이러한 남두육성의 역할은 고구려의 고분벽화(특히 오회분 4호 묘)에 엄청난 크기로 나타난 형상을 통해서도 알 수 있다. 한 신선이 두 손에 약사발을 받쳐 들고 공작 같기도 하고 봉황 같기도 한 새를 타고서 남두육성으로 다가온다. 이 약사발에는 붉은색의 약이 선명하게 보이는데, 이는 말할 것도 불사약인 것이다. 생명에 무한한 축복을 쏟아붓고 불멸을 수호하는 남두육성의 역할이 이와 같은 상징을 통해 밝혀진 것이다.

45 울리히 호이서만, 장영태 옮김, 『횔덜린』, 행림출판사 1980, 168쪽.

46 횔덜린은 편협한 교회 중심의 신앙이나 계율에 의한 종교가 아니라 대지와 빛 그리고 대기와의 만남을 통한 신적인 경험을 한 것으로 보인다(울리히 호이서만, 장영태 옮김, 『횔덜린』, 행림출판사 1980, 60쪽 참조).

카스파 D. 프리드리히(Caspar David Friedrich, 1774~1840)
〈뤼겐섬의 백악암(Chalk Cliffs on Rügen)〉

피피섬이 원초적 피지스의 개현된(자기 스스로 자신을 펼치고 전개하는) 모습을 직시하면, 하이데거가 말하는 피지스의 '비-은폐성(Un-verborgenheit, a-letheia)'으로서의 진리를 이해할 수 있다. 원초적 피지스의 모습이 왜곡이나 방해 없이 그대로 드러나(비-은폐) 있다.

물론 피피섬은 하이데거가 고흐의 '농부의 신발'에 대한 해명을 통해 드러낸 신발의 의미처럼 현저하게 그 의미가 드러나지는 않을 것이다.[47] 피피섬이 어떤 화가의 작품이 아니기 때문이다.

피피섬의 존재를 '신의 자기해명(Explicatio Dei)'처럼 받아들인다면 조물주의 예술작품으로 이해할 수 있겠지만, 그렇게 받아들이지 않는 사람도 있기에 완고하게 주장하고 싶진 않다. 피피섬이라는 자연적−초자연적 작품성을 위해, 존재하는 모든 것 속에는 필연적인 이유가 내재한다는 라이프니츠의 충족이유율을 들지 않아도 좋다. 그 존재와 작품성을 증명하기 위해 추론을 거듭해 근거를 도출한다는 게 무모하게 여겨지기 때문이다.

내가 이토록 신비한 색깔에 탐닉하는 것은 피피섬이 노자와 하이데거가 그토록 강조하는 피지스의 근원적인(ursprüngliches) 모습, 무위자연(無爲自然)의 모습을 그대로 간직하면서 펼쳐 보이기

---

47 『예술작품의 근원』에서 하이데거는 반 고흐의 그림인 '농부의 신발'을 예로 들어가며 예술작품에 내재한 철학적 의미, 특히 이 '농부의 신발'이라는 도구에 담긴 도구−존재(Zeugsein)의 의미를 밝힌다(Der Ursprung des Kunstwerkes, Reclam: Stuttgart 1988, 26~30쪽 참조). 하이데거에 의하면 도구의 도구−존재에 대한 의미는 그 기여성(Dienlichkeit)에서 찾을 수 있다(앞의 책, 26쪽 참조). 말하자면 반 고흐의 '농부의 신발'은 농부가 이러한 신발을 신고 농토 위에서 일할 때 그 도구스러운 것(das Zeughafte)의 기여성을 통해 '농부의 신발'이 무엇인가가 드러난다는 것이다. 고흐의 예술작품 속에 드러난 농부의 낡아빠진 신발에서는 노동의 역정에 대한 고단함을 읽을 수 있다. 적적한 농토 위에서, 또 수없이 밭이랑을 오가며, 때론 모진 풍파에도 견디어내면서, 딱딱한 대지와 무언의 싸움을 벌여온 신발이다. 그런 농부의 노동을 통해 대지의 부름에 응하기라도 하듯 익은 곡식이 선물로 주어진다. 이러한 '농부의 신발'이라는 도구 속에는 안정된 식량을 마련하기 위한 농부의 근심걱정이 스며있고 궁핍을 극복하는 말 없는 기쁨도 들어있다(앞의 책, 27쪽 이하 참조).

때문이다. 말하자면 원초적 피지스가 생생하게 재현되어 있다. 여기서 **피지스의 현상학**(Phänomenologie der Physis)을 체험하게 된다.

아무리 과학적으로 바닷물 색깔을 설명해도, 맑고 신비한 색을 드러내는 물을 보는 순간, 과학이야말로 색의 신비로운 근거를 밝힐 수 없음을 직감한다. 누군가 자연적인 재료나 화학적인 재료를 끌어모아 인위적으로 조합해봐도 저런 물빛을 만들어낼 수 있을까.

과학이론엔 기적적인 존재의 모습, 즉 색의 신비가 끼어들 공간이 없다. 파스칼(Blaise Pascal)은 '내가 저기에 있지 않고 여기에 있는 것만도 신비요 수수께끼'라고 했다. 그렇다면 청명하고 부드러운 연초록의 색을 발산하는 바닷물이야말로 신비의 극치다.

이 바닷물에 온몸을 처박고 세례식을 거듭 거행한다면 시간의 흐름도 세상살이의 시름도 다 망각하겠지. 아름다운 물에 부대끼며 살아가는 바위는 쉼 없이 온 코스모스(Cosmos, 질서와 조화를 지닌 우주 또는 세계)에 아름다움과 생명력을 불어넣는 일꾼들이다.

철학자들은 근거에 대한 물음을 결코 소홀히 여기지 않는다. 어떤 것도 근거 없이 존재하지 않기 때문이다(nihil est sine causa). 그런데 어떤 사물적인 것은 최종 근거가 될 수 없다. 사물적인 것이 존재하게 된 근거가 또 필요하기 때문이다. 그래서 저 신비로운 색의 근거를 어떤 것에서만 찾는다면, 어중간한 무한소급(조건과 원인을 규명하여 끝없이 소급하는 철학 논의)에 빠져들고 만다.

칸트는 지혜롭게도 모든 경험 가능한 현상의 배후에는 그 현상이 아닌 어떤 것이 있어야만 한다고 했다.[48] 근거 지어진 것들의 궁극적 근거는 또다시 근거 지어진 것이어서는 안 되고, 오히려 근거 지어진 것들이 존재하는 '세계의 외부'[49]에 존재해야만 한다.

하이데거도 존재자가 존재하게 된 근거를 존재에서 찾으며, 플라톤 또한 현상세계의 근거를 이데아의 세계에서 찾는다. 모두 연초록색과 연한 하늘빛의 신비로움에 홀린 근거를 밝혀 주는 듯하다.

🔍 경이로운 시공의 체험

우리는 강렬한 태양빛과 푸른 바다, 신비스레 우뚝 솟은 암석 바위들이 연출하는 압도적인 풍광에 넋을 잃은 상태였다. 피피섬의 순수하고 원초적인 아름다움은 하나의 영상이 되어 머릿속을 무대로 수없이 상연됐다. 우리는 맥주 한잔을 들이키며 낮에 있었던 파라다이스의 체험을 나누기 위해 리조트의 로비로 갔다.

---

48 I. Kant, *Kritik der reinen Vernunft*, hrsg. von R. Schmidt, Hamburg 1956, A 251.
49 I. Kant, 위의 책, B 705.

　　테이블에 둘러앉았을 때, 무언의 약속이라도 한 듯 모두 놀란 표정을 하고 있었다. 낮 동안 이글거린 태양빛이 음영으로 바뀐 밤하늘에 달빛을 바닷물에 빠뜨린 채, 눈앞에 솟은 보름달이 경이로웠다. 오로라가 연기하듯 신비한 침묵의 언어로 속삭이는 것 같았다. 경탄이 쏟아졌고, 다들 한동안 아무 말 없이 멍한 상태로 달 쪽으로 고개를 돌리고 있었다. 넋 나간 사람처럼 말을 할 수 없었다.[50] 침묵과 고요와 황홀경에 사로잡혔다.

---

50 횔더린의 시구 〈나의 것〉에서 '저녁 어스름 속에 강물은 멈추어 있다. 성스러운 감동이 내 가슴을 흔들었고, 나는 농을 멈추었다.'(울리히 호이서만, 장영태 옮김, 『횔덜린』, 행림출판사, 1980, 58쪽)라는 표현이 달을 바라보며 놀란 우리의 상태와 유사했을 것이다.

한국에서 보는 태양과 달, 괴테가 여행에서 본 태양과 달, 이 곳에서 보는 태양과 달은 똑같은 태양이고 달이다. 그러나 다르게 보였다. 마치 다른 태양이고 다른 달인 것처럼. 남국의 대양 위에서 펼쳐지는 일출과 일몰은 전혀 다른 것이다.

괴테는 이탈리아 여행에서 달의 모습을 목격했다. 그가 테베레강가에 있었을 때였다.

> 그리고 나서 트리니타 데 몬티 쪽으로 산책을 하며 달빛 속에서 신선한 공기를 마셨습니다. 이곳의 달빛은 우리의 꿈속이나 동화 속에 나오는 것과 같은 분위기입니다.[51]

다시 정신을 차렸을 때 침묵의 체험에서 노자의 글귀가 더더욱 선명하게 이해됐다. 침묵이 가장 큰 계시라는 것이다. 언젠가 독일 본(Bonn)의 대학도서관 달력에 적힌 노자의 『도덕경(道德經)』 한 구절이 떠올랐다. '가장 큰 계시는 침묵이다(Die höchste Offen barung ist die Stille).'라는 구절이었는데, 자연 앞에서 갖는 경이의 체험에서 선명하게 이해됐다.

---

51 J.W.von 괴테, 박영구 옮김, 『괴테의 이탈리아 기행』, 푸른숲, 2002, 421쪽.

우리는 말을 잊고 하늘과 달과 바다가 만들어내는 묘기에 넋을 잃고 있었다. 은은한 정원의 불빛이 야자나무의 우아한 자태를 비추고 있었는데, 이들 또한 신비로운 이 순간을 장식하고 있었다. 노란 정원의 불빛에 야자나무 가지의 푸른 잎이 어울려 신비한 색을 만들어내고 정원 너머 바다와 하늘에까지 어둠이 아늑한 밤을 익혀가고 있다. '가장 아름다운 것이란 가장 성스러운 것'[52]이라는 휠더린의 시구가 바로 이런 상황을 읊는 듯하다.

벗들이여, 휴식하자꾸나! 우리는 떠돌이로 살아왔고 또 그렇게 살아갈 것이다. 그러나 달이 우리에게 대화를 청하는데, 가만히 있을 수 있겠는가. 달밤에 감응되어 전율하고 카이로스적 시간[53]에 영원을 맛본 벗들이여, 마비되었던 몸을 흔들어 깨우고 축배를 들고 휴식하자꾸나.

엄청난 달님의 선물에 놀란 나머지 울음을 터뜨린 『연금술사』의 주인공 산티아고가 생각났다. 보물을 찾아 사막을 헤매고 다닌 그 기나긴 여행은 결국 자기 자신을 찾는 여행이 되었고 자아의 신화를 찾아 나선 여행이었다. 그 여행의 끝은 사막에 떠오른 보름달

---

52 울리히 호이서만, 장영태 옮김, 『휠덜린』, 행림출판사, 1980, 168쪽.

53 카이로스적 시간은 흘러가는 크로노스의 시간과는 다른, 영원에 잇대어 멈춰있는 시간, 의미로 가득 찬 초자연적 시간을 말한다.

앞에서 감격과 환희로, 너무나 벅차 눈물로 맞을 수밖에 없는 여행이었다.

> 마침내 모래 언덕에 올라섰을 때, 그는 뛰는 가슴을 억누를 길이 없었다. 보름달과 사막의 순결한 흰 빛으로 환히 빛나는, 신성하고 장엄한 이집트의 피라미드가 눈앞에 모습을 드러냈던 것이다. 그는 그 자리에 무릎을 꿇고 주저앉아 울음을 터뜨렸다.[54]

『연금술사』의 마지막 문장에는 다시 한 번 환희의 체험으로 전율하는 산티아고의 모습이 드러난다.

> 산티아고는 간신히 몸을 일으켰다. 그리고는 다시 한 번 피라미드를 바라보았다. 피라미드는 그를 향해 조용히 미소 짓고 있었고, 그 역시 피라미드를 향해 미소를 보냈다. 솟아오르는 기쁨으로 가슴이 터져나가는 것 같았다. 이제 그는 자신의 보물이 어디에 있는지 온몸으로 느낄 수 있었다.[55]

---

54 파울로 코엘료, 최정수 옮김, 『연금술사』, 문학동네, 2004, 255쪽.   55 앞의 책, 260쪽.

산티아고에게 드러난 보름달이나 사막의 순결한 흰빛, 장엄한 피라미드는 우리 앞에 나타난 끝없는 하늘과 장엄한 바다, 이 양쪽에 은은한 광휘를 쏟는 보름달과도 유사한 위력을 발산한다. 자연과 인간이 카이로스적 시간에 서로 감응된다면 경이로운 세계, 의미로 가득 찬 존재의 토폴로지가 펼쳐진다.

야스퍼스(Karl Jaspers, 실존주의 철학자)는 그의 『비극론(悲劇論)』에서 각기 다른 처지에서 보름달을 바라본 사람들의 심성을 드러냈다. 고향을 잃고 유랑하는 자에게 달은 고향으로, 사랑하는 이를 잃은 자에게는 애인의 화신으로, 도둑에게는 막대한 방해물로 등장한다는 것인데, 상당히 설득력 있어 보인다.

달은 어떤 미스터리한 얼굴을 한 것이 아니라 어린아이들이 도화지에 그린 것 같이 친근하게 미소 짓는 것 같기도 하다. 온 세상을 비추고 아늑함과 생명력을 전하는 하늘의 사신으로, 악수를 건네는 벗으로, 영원한 고향을 안내하는 미소로, 무엇보다도 어딘가에 파라다이스가 있다는 것을 속삭여주는 언어로 다가온다.

오래전부터 카스파 D. 프리드리히의 〈바닷가의 월출〉에 매료되어, 이 그림을 눈앞 가까운 거리에 걸어놓고 있다. 그의 작품세계는 대체로 인간과 자연 및 초자연과의 일치를 드러내고 있다. 압도적인 자연의 이미지를 통해 인간의 삶에 관한 예술철학적 메시지를 전한 것이다.

그는 풍경화의 알레고리(Allegory, 하나의 주제를 말하기 위해 다른 주제를 이용해 유사성을 암시하며 주제를 나타내는 방법)를 통해 무한한 것, 시간과 공간의 경계, 인간의 실존에 관한 철학적 통찰을 보여주고 있다.

그의 작품 〈바닷가의 월출〉은 푸껫의 달 앞에 감응된 우리의 상황을 잘 대변해주고 있는 듯하다. 프리드리히의 작품은 대부분 석양이나 땅거미가 질 때 혹은 달빛을 그리고 있는데, 매우 섬세한 색채로 사실적으로 드러낸다.

〈바닷가의 월출〉에서 마을 사람들은 끝없는 바다를 통해 무한과 미지의 세계를 응시하고 있다. 중앙에 항해하는 배 두 척은 평온한 바다를 그려내고 바다의 표면은 수평선을 향해서 넓고 얇은 띠를 이루며 뒤로 물러난다.

광채가 드러난 자연의 세계는 초월적인 무한함을 상징하고, 인간은 정적 가운데 초월적인 세계를 응시한다. 거의 모든 프리드리히 작품과 마찬가지로 인간은 뒷모습을 보일 뿐이며 말없이 전경을 바라보고 있다. 이들을 넘어서 달은 멀리 영원을 달리고 있다. 〈바닷가의 월출〉은 상징적 의미로 가득 차 있다.

프리드리히의 〈바닷가의 월출〉은 아름답고 훌륭하지만, 푸껫의 달 앞에서 감응된 채 말없이 있는 우리는 저 그림이 가지고 있지 않은 부분을 가진 듯하다. 〈바닷가의 월출〉에서 달만이 하나의

카스파 D. 프리드리히(Caspar David Friedrich, 1774~1840)
〈바닷가의 월출(Mondaufgang am Meer)〉

초점이 되고 인간이든 다른 사물이든 거기로만 몰입되어 있다. 자연 가운데 달의 위치는 압도적이지만, 이 압도적인 분위기 앞에 감응하고 반응하는 인간의 모습도 드러나야 하지 않을까.

벗들이여! 나는 대자연 앞에서 숭경심에 가득 찬 모습을 하는, 무아경의 세계에 빠져든 우리 모습을 찰나의 순간에 보았다네. 이를 그리는 것이 큰 과제로 여겨지네. 자연에 경도되고 감응된 우리 각각의 모습이 드러난다면 얼마나 좋을까! 그림엔 문외한이지만, 평생의 과제로 여기고 언젠가 예술작품으로 드러내고 싶네.

우리는 수팔라이의 황홀한 달밤에 경이로운 카이로스적 지평 속에서 하나로 융합된다. 우리는 더 이상 인식의 관찰자가 아니고,

자연은 관찰대상이 아니다. 근대의 첨예한 주-객-인식모델은 철부지 소꿉놀이로 융해되고, 후설 현상학에서 첨예화된 인식작용인 의식의 지향작용마저 초자연적 경이 앞에 작동을 멈추고 만다.

인식과 인지의 과부하가 일어나고 말았다. 얄팍한 인식과 인지의 능력으로 더는 뭔가를 담아낼 수 없다. 우리는 처음에 멀쩡한 정신으로 사물을 바라보게 된다. 여기까진 근대 인식론의 모델이 작동될 수 있을지도 모른다. 그러나 분석과 판단으로 대상을 인식하는 근대적 방식은 우스꽝스러운 소꿉놀이로 전락하고 만다.

유한과 무한 사이를, 시간과 영원 사이를 메우지 못해 허우적거리며 살아가는 것이 인간의 운명이 아닌가. 그래서 이들 사이에 무한한 질적 차이가 지배하는 곳에서 인간은 거주할 따름이다. 그러나 카이로스가 이 모든 차이를 정복한 가운데 의미로 가득 찬 존재의 토폴로지만이 만물을 장악하고 있다.

기적 같은 시공에서 유한과 시간은 무한과 영원과의 적대관계가 아니라 오히려 저들 후자의 살아있는 화신과 분신으로 거듭난다. 기적은 우리 주변에 흘러넘칠지도 모른다. 단지 인간이 깨닫지 못하고 있을 따름이다. 존재하고 있는 것과 존재하게 된 것, 존재하지 않지 않고 존재하는 것, 이렇게 혹은 저렇게 존재하는 것은 기적의 영역이다. 이를 망각하고 이 기적의 현상을 인간의 이성 안으로 끌어들이는 것은 철부지의 소행이고 무지이다.

🫧 선물로 주어진 카이로스의 체험

수팔라이의 보름달 앞에서 체험했던 경이로운 사건은 특별한 카이로스적 (Kairos: καιρός)체험이라고 할 수 있다. 카이로스적 체험은 일상적인 경험과 인식이 일어나는 시간과 공간의 영역이 아니라, 전혀 다른 지평 가운데 일어나는 것이다.

시간의 흐름과 세월의 강물이 만들어내는 무상과 덧없음 그 가운데 만들어지는 우리 존재의 유한성과 시간의 불가역성조차 카이로스의 지평에서는 무산되고 만다. 이 지평에서 크로노스적 시간(Chronos: Κρόνος, 객관적 시간)의 아포리아(Aporie, 해결 불가능)가 만들어내는 모든 버전이 그 위력을 상실한다.

카이로스의 개념은 이미 고대 그리스의 신화시대에 형성되었다. 카이로스는 유익(유효)한 기회와 올바른 순간의 신으로 그의 형상은 자주 레슬링경기장에 나타났다. 그는 날개 달린 신발을 신고 이마에 드리운 고수머리와 대머리인 뒷머리 그리고 한 손에는 저울과 다른 손에는 칼을 쥔 채 어디론가 내달리는 모습을 하고 있다. 기회는 왔을 때 단단히 움켜쥐어야 함을 뜻한다. 너무 머뭇거린다면 그걸 붙잡지 못할 것이다.[56]

---

56 Gerhard Fink, Who's who in der antiken Mythologie, dtv. München 1993, 159쪽 참조.

이에 비해 크로노스는 우라노스의 아들이며 제우스의 아버지로 자기 자식을 낳는 대로 잡아먹는 포악한 속성을 가졌다. 그래서 제우스를 임신하고 있던 레토는 크레타로 도망쳐 아이를 낳았다. 크로노스는 일상적이고 일반적인 시간이며 자연적인 흐름의 시간, 생로병사의 과정을 거치는 시간, 흘러 가버리고 불가역적인, 앞으로만 내달리는 수평화된 시간이다.[57]

벗들이여, 시간의 자녀들이여, 시간의 지배를 벗어나 휴식하자꾸나. 우리는 경주마의 뜀박질 터 같은 세상에서 마냥 고단하게 살아왔다. 쉬지 않고 달려간다면 인생의 목적이란 무엇이고 어디로 가야 한단 말인가. 누군가 기다리기라도 한단 말인가? 무엇이든 세상의 무거운 짐들은 내려놓자꾸나.

우리는 시간에 떠밀려 살아야만 하는 운명이어서 때론 소리 없는 폭군으로 변장한 시간 앞에 허둥대고 쫓기었다. 그러나 우리는 지금 폭군의 왕국에 있지 않다. 크로노스의 버전은 꺼지고 기존의 시공은 사라졌다. 그 대신 '의미로 가득 찬 시간', 의미의 심층이 지배하는 시간, 즉 카이로스가 우리를 감싸고 있다.

크로노스는 만물을 꽉 쥐고 어디론가 끌고 간다. 과거-현재-미래의 틀에 떠내려 보낸다. 그러나 카이로스는 초자연적인 지평

---

57 앞의 책, 174~175쪽 참조.

으로부터 현재로 다가오는 시간이고 창조와 의미로 가득 채우는 시간이다. 그런 지평에서, 의미와 가치로 충만한 세계에서 존재개현의 사건이 일어난다. 존재는 비-은폐(a-letheia)되고 자신의 모습을 드러낸다.

이 경이로운 시간이야말로 초자연과 영원을 맛보게 하는 시간이다. 칼빈의 말대로 인간의 '유한은 (신의) 무한을 따라잡을 수 없다(Finitum non capax infiniti.).' 그러나 카이로스의 경이로운 체험에서 덧없는 유한을 박차고 나가 영원의 광채 속에 머물 수 있다.

아무 의미 없이 흘러가는 시간과 소멸로 내달린 시간, 그 불가역성의 숙명이 지배하는 곳에서 해방되어 의미로 충족된 존재개현(Ontophanie)의 차원에 진입한 것이다.

하이데거가 천명하듯 존재는 시간적으로 규정되고, 시간은 존재를 통해 규정된다. 존재의 시간과 시간의 존재라는 '존재와 시간의 공속성'이 성취된다. 존재의 경이로움에 관한 체험은 환희의 체험이고 이 체험을 통해 인생은 숭고함의 영역으로 고양되어 간다.

사이판,

태양의 마법

● 태평양 작은 섬나라로

　추위가 맹위를 떨치던 어느 겨울, 가벼운 배낭을 메고 사이판 여행에 나섰다. 비행기에는 여행객이 제법 많았다. 늘 그렇듯 비행기는 세차게 대지를 밀어내고 하늘 가운데로 날아오른다.

　깊은 밤의 출항이기에 태평양이 시야에 들어오지 않았다. 그렇다고 바깥세계를 다 묵살하고 잠들 수는 없다. 남쪽 하늘을 장식하는 별들의 모습은 어떤지 하나씩 하나씩 헤아려보아야 한다.

　인천공항에서 3시간 안팎의 비행거리이지만, 그래도 열대라고 후끈한 더위가 피부로 다가온다. 비행기는 거리이동만 한 것이 아니라 계절의 이동까지 행한 것이다. 계절의 흐름이라는 순리를 한순간 배반하거나 비웃은 결과가 아닌지 곰곰이 생각해보았다.

동시에 여행기간 동안 어떤 경우에도 자연의 섭리를 거스르는 일이 없도록 해야 한다고 각오했다. 자연 앞에서 겸허해야 한다. 흔히 '자연보호'라는 말을 쓰지만, 이 말 속에 인간주체의 주인의식이 강하게 들어있기에, 오히려 삼가는 편이 나을 것 같다. 자연은 스스로 살아있는 유기체기에, 인간이 간섭하지 않고 내버려 두면 더욱더 자신을 펼쳐낸다.

🗨 타포차우산과 정글투어

이튿날 아침 세상은 엊그제 얼어붙은 겨울 땅에 있을 때와는 딴판이다. 이글거리는 태양, 이 태양의 축복으로 무시무시한 생명의 향연이 펼쳐지는 정글, 바다와 해변의 백사장 등 무차별로 홀리는 가운데 나그네는 돌처럼 멍하게 침묵하고 있다.

대양에서 일출을 맞고서 타포차우산 등정과 정글투어에 나섰다. 474m의 타포차우산은 거의 정상까지 차량 이동해서, 빠른 시간에 산 정상에 도착했다. 산의 정상에는 더 이상 전쟁이 일어나지 않기를 기원하는 의미에서 예수상이 세워져있다.

그 전쟁이란 처절했던 태평양전쟁으로, 이 땅에서 미군과 일본군 사이에 치열한 격전이 벌어졌다. 많은 사람이 죽었고 강제노역에 동원된 한국인들이 한스럽게 죽어갔으며 남국의 섬이 상처를 입었다.

　타포차우산 정상에서 360도의 전경을 볼 수 있고, 망망대해의 태평양을 내려다볼 수 있다. 세계 가운데 선 것 같은 착각이 일어나고, 온 세계에 노출된 것 같은 느낌이 든다. 세계 주요 국가와 도시에 대한 방향표지판이 세워져 있어, 표지판 방향에 따라 시선을 옮겨 보기도 한다. 멀리 마나가하섬이 아담하고 예쁜 모습으로 시야에 들어온다.

　전망대가 있는 정상에서 한동안 휴식을 취한 후 정글투어에 나섰다. 한참 정글 속을 돌아다니다 원주민이 경영하는 농장에 이르러 휴식하게 됐다. 원주민 할아버지가 건네는 열대과일이 감미롭게 여겨졌다. 할아버지는 태평양전쟁 당시의 가혹한 일들을 설명해줬다.

　그는 한국인 강제노동자들이 끙끙 앓으며 '아이고'라고 외치는 소리를 생생히 기억했다. 일본이 미국에 항복하였을 때, 그들이 '천황폐하 만세'를 외치고 만세절벽과 자살절벽에서 뛰어내리기 전 한국인 강제노동자들에겐 총알이 아깝다고 칼로 찔러 죽였다고 했다.

　어느덧 바다와 작은 냇가가 만나는 호젓한 곳으로 갔다. 자그마한 해변이지만, 독특한 광경이 펼쳐지는 곳이다. 냇가를 건너 작은 동산과 마주한 바닷가로 걸어나가자, 바닷가의 바위틈에서 억센 굉음을 내며 하늘로 치솟는 물길이 보였다. 우렁찬 굉음은 성난 사자가 울부짖는 소리보다 크게 진동하며 고래 숨구멍에서 터져 나오는 물기둥의 두 세배 높이로 솟구쳐 오른다.

자연이 만들어내는 위력은 놀랍고 무섭다. 물기둥이 솟는 바다는 아주 깊은지 시꺼먼 색깔을 하고 있고, 주위엔 험악한 바위들이 진을 쳐 접근을 허용하지 않는다. 놀라운 대자연이 펼치는 마법을 음미하며 발길을 돌렸다.

● 새섬과 만세절벽

하루는 사이판의 서쪽 해안을 따라 여행하면서 만세절벽과 자살절벽, 다이빙 포인트라는 그로토, 새들의 낙원인 새섬(버드 아일랜드)을 둘러보는 일정이었다.

마나가하섬과 사이판 본섬 사이에는 순수무구한 에메랄드빛의 향연이 펼쳐진다. 바다와 마나가하섬을 바라보는 것만으로도 눈이 시리고 가슴이 투명해진다. 산허리에 반듯하게 난 도로는 아름답고 오른쪽으로는 열대식물로 우거진 자연정원이 있다.

그러나 이윽고 자살절벽과 만세절벽이 나타나고, 태평양전쟁 당시의 일본군 최후 사령부가 나타나는 곳에 이르자 끔찍하고 참혹한 생각들이 가슴을 파고든다. 바위를 뚫어 든든한 사령부를 만든 것을 보니 얼마나 전쟁의 광기에 사로잡혔는지 상상이 된다.

일본이 행한 망나니짓의 전쟁은 무모한 탐욕 때문이다. '대동
아 공영권'을 빙자해 세상을 군국주의의 깃발 아래 움켜쥐겠다는
탐욕인 것이다. 터무니없는 탐욕의 광기에 반성도 없다. 오히려 자
랑처럼 바닷가가 내다보이는 전망 좋은 곳에 충혼비를 세워놓았다.

그들의 어린 학생들과 청소년들의 답사단을 단체로 실어 와서
는 조상들이 '진취적이었다'라거나 '대동아 공영'을 위해 싸웠다는
식의[58] 허위와 군국주의적인 몰염치를 반복하고 있다. 치부를 인정
하지 않겠다는 태도에 인류의 보편적 윤리의식이 결핍되어 있다.

여기서 조금 떨어진 곳, 길 반대편 언덕 아래엔 한국인 위령탑
이 있다. 위령탑 주위엔 원혼을 달래려는 듯 붉은 핏빛의 협죽도 꽃
이 만발해 하늘거리고 있다. 강제로 끌려와 처참하게 일본 군인들
의 칼에 찔려 죽은 한국인들이다. 위령탑은 일본이나 한국정부가
아닌, 해외희생동포 추념사업회와 민간인들이 사비로 세운 것이다.

위령탑이 있는 곳에서 해안 쪽으로 가면 해안절벽에 만세바위
와 자살바위가 있다. 병풍처럼 펼쳐진 마파산 아래의 서쪽 절벽인
데, 기암절벽의 바위가 수직으로 바다와 연결되어 있다. 이토록

---

58 거짓말을 예사로 일삼는 일본의 군국주의와 국수주의 외에는 아무도 동의하지 않는 용어이다.
   실제로 일본은 아시아의 나라들을 침탈하여 가혹한 식민통치를 일삼았는데, 세계사는 독일의
   나치는 잘 기억하는데 일본의 만행은 너무 모르고 있다.

아름다운 곳이 섬뜩한 고유명사를 갖게 된 것은 2차대전 당시 일본이 패전했을 때로 거슬러 간다.

항복하면 살려주겠다는 미군의 제안을 거부하고 '천황폐하만세'를 부르짖고 바다로 뛰어내려 자살했기 때문이다. 만세절벽과 자살절벽뿐만 아니라 사이판 섬 전체가 남태평양의 향취를 가득 실은 열대정원인데, 전쟁광들은 자연에도 엄청난 죄를 지은 셈이다.

안타까운 상황을 곱씹으면서 새섬(버드 아일랜드)으로 향했다. 조용한 해변에 우뚝 솟은 바위섬인데, 멀리서 봐도 바위 표면에 무수히 많은 구멍이 뚫려 있다. 이미 많은 사람이 오후에 펼쳐질 진귀한 현상을 목격하기 위해 새섬 맞은편 산언덕에 자리 잡고 있었다.

과연 해질 무렵이 되자 새들이 하늘을 새까맣게 덮으며 보금자리를 찾아드는 장관을 연출한다. 이곳저곳을 다닐 때는 그리 많은 새는 보이지 않았는데, 어디서 이렇게 모여드는지 모르겠다. 아마도 남태평양의 넓디넓은 바다를 여행하고 때론 사이판 본섬뿐만 아니라 티니안이나 로타와 같은 섬도 날아다니다 황혼이 되자 보금자리로 돌아오는 모양이다.

새들도 안식이 필요하다. 새섬을 바라보고 있는 인간들에게도 안식이 필요하고 안식을 위해 새들을 보고 있다. 모든 생명체에는 안식이 필요하다. 코스모스를 창조한 신도 일곱째 되는 날 안식했다고 성서는 기록하는데, 어찌 사람인들 안식하지 않을 것인가.

🗨 마나가하섬, 쉬어가는 인생

사이판을 여행하는 사람들이 필수코스처럼 들르는 곳이 마나가하섬이다. 사이판 본섬에서 바라보는 것만으로도 아름다운 영상으로 다가오는 작은 섬이다. 특이하게도 마나가하섬과 사이판 본섬 사이엔 바다의 색이 대양의 것과 확연히 다르다. 타포차우산의 정상에서 봐도 선명한 차이가 확연히 드러난다.

마나가하섬 주변만 해도 하얀 모래와 깨끗한 바닷물이 온종일 여행객의 발을 붙들어놓는다. 일상에 지친 삶, 스트레스와 꼬질꼬질한 때로 찌든 삶을 연초록의 소금물에 담그면, 한 마리의 자유로운 물고기가 된다.

마나가하섬의 서쪽 면은 바닷물색이 전혀 다르다. 짙푸르다 못해 검은빛까지 드러낸다. 수직으로 깊은 바다와 연결되는데, 흐르는 물살도 센 것 같아 가까이 가면 두려움이 느껴진다. 놀랍게도 평화롭게 수영하고 즐기는 곳과 깊은 해연이 연결되어 있다.

마나가하섬에는 평탄하고 산책하기 좋은 아담한 산책로가 단장되어 있다. 열대식물들이 산책로에서 정겹게 인사하고 바닷물도 한눈에 보이며 사이판 본섬과 타포차우산이며 대양을 볼 수 있다.

원주민의 언어로 마나가하란 '잠시 쉬어가는 곳'이다. 잠시 쉬어가는 곳의 작은 섬이라 산책로도 짧다. '잠시 쉬어가는 곳'이 곧 이 세상을 말하는 것 같아 의미심장하게 와 닿는다. 인간은 이 세상에 와서 잠시 쉬었다가 어머니인 대지를 떠난다. 나그넷길 같은 이 세상에서 하룻밤 머무는 것이 우리의 삶이다.

잠시 쉬어가는 곳으로서 마나가하섬은 뱃사공들이 고단한 어로 작업에서 잠시 쉬어가는 역할에서 그 개념이 형성되었을 것으로 보인다. 그렇지만 세상이 우리 인생에게 실로 잠시 쉬어가는 곳이기에 섬의 이름은 많은 것을 시사한다.

인간의 삶 전체가 잠시 쉬어가는 것일 따름이라는 것을 철인황제 아우렐리우스(Marcus Aurelius Antonius, 스토아학파의 철학자이자 로마황제)는 『명상록(瞑想錄)』에서 누누이 강조하고 있다. 그는 세상은 잠시 쉬어가는 곳이고 그 위의 인생도 예외 없이 잠시 쉬어가는 존재로, 불평이나 미련도 없이 자연의 순리에 따를 것을 말한다.[59]

참다운 지혜로서 마음을 가다듬는 사람은 저 호머의 시(詩) 구절 하
나만으로도 이 세상의 온갖 후회와 두려움으로부터 자유로워지기에
충분하다.
인생의 영고(榮枯)는 나뭇잎과 같은 것,
싸늘한 가을바람이 낙엽을 쓸어 가면,
봄은 새로운 잎으로 숲을 덮는다.
잎, 잎, 작은 나뭇잎. 너의 어여쁜 자식도, 너의 아첨자도, 너의 원수도
전부 바람에 쓸려 가는 나뭇잎. 세상에서 너를 조롱하거나 멸시하는
사람들도, 갖은 수단을 동원해 너를 지옥에 빠뜨리려는 자도 그리고
그들의 명성이 이 세상을 뒤덮는 사람들도 모두 바람에 휘날리는

---

59 철인황제 아우렐리우스의 금언은 월터 페이터, 민동선 옮김, 『페이터의 산문』(「철학자 마르쿠스
    아우렐리우스 황제」(청목사 1994)에서 인용하였으며, 번역과 관련해 미비한 부분은 독일어 서적
    Marc Aurel의 『Selbstbetrachtungen』(Reclam: Stuttgart 1995)에서 제10~11장을 참조
    하였다.

나뭇잎이니 봄이 되어 돋아난 새 잎이 어느새 무성해져 가을바람에 잎사귀를 전부 날리고 나면 숲은 새 잎으로 또 한 세대를 장식하는 것이다. 그 모든 것의 공통점은 오직 한 가지, 그 모든 것이 극히 미미하다는 것뿐이다. 그럼에도 그대는 마치 이런 것들이 영원히 지속되기라도 하는 양 미워하고 사랑하겠단 말인가? 한순간에 그대 눈도 감기고, 그대가 기대려던 그 사람도 다른 이의 짐이 되어버린 것이다.

…

영겁의 시간 속에서 너의 생명이 극히 적음을 알라. 이런 일로 해서 희망에 들뜨고, 이런 일로 해서 슬픔에 빠지고, 이런 일로 해서 초조해한다면 그 얼마나 어리석은가? 무한을 생각하고 그 속에 네가 차지한 몫을 생각해 보라. 과연 그것은 얼마나 작은 분자인가! 영원의 시간을 상기하고 너의 생명이 차지한 시간의 기막힘을 서글퍼하라. 운명을 생각하고 그 속에 한 점일 뿐인 너의 위치에 몸을 맡긴 채 여신이 그대를 써서 어떤 비단을 짜든 관계하지 말라.[60]

끊임없이 흐르는 게 자연의 순리다. 싸늘한 가을바람이 대지 위를 스치면, 아름답고 고운 잎들은 어디론가 사라지고 봄은 새로운 잎으로 숲을 덮는 것이 자연의 섭리다.

---

60 월터 페이터, 민동선 옮김, 『페이터의 산문』, 청목사, 1994, 175–176쪽 참조.

아우렐리우스는 이 변화와 흐름에, 짧고 덧없는 삶 앞에서 불평하지 말 것을, 운명에 따를 것을 분명히 말한다. 그는 변화되는 삶이 무의미하거나 무가치한 것이 아님을 동시에 말하고 있다.

그 속에도 손해란 없다. 너의 생각을 사람의 일생으로 돌려보자. 소년시절, 청년시절, 중년기 그리고 노년기, 이 모든 변화의 단계는 하나의 죽음의 과정이나, 그 속에 악의는 없다. 너는 배에 올라 항해를 마치고 이제 해안에 도달했다. 이제 떠나라! 다른 생명이 되거라! 신성한 입김은 어느 곳에나 있으며, 네가 떠나는 곳에도 있다. 영원의 망각 속으로 들어가라.[61]

또한 아우렐리우스는 운명의 여신이 그녀의 베틀에서 어떤 옷감을 짜든, 말하자면 우리의 운명을 어떤 식으로 엮어내든 불평하지 말 것을 주문한다. 인생의 항해를 마치고 내릴 차례가 되었다면, 용감하게 내릴 것을 권한다. 이승에서 저승으로의 여행엔 어떤 손해나 악의도 없으며, 이는 어떤 부당한 재판관의 심술보도 아니다. 오히려 피안의 세계에 신성의 입김이 있을 것이라는 철리(哲理)엔 아우렐리우스 스토아철학의 중량이 쏠려 있는 것 같다.

---

61 위의 책, 181쪽 참조.

생성소멸 법칙은 생성이 소멸과 필연적으로 연결되어 있다는 것이다. 언젠가 생성되었다면 언젠가 소멸하는 것이다. 아우렐리우스는 자연의 순리 앞에 순응하고 초연할 것을 요구한다.

> 이 시간에 너와 함께 존재하는 모든 것들, 그뿐만 아니라 앞으로 생길 모든 것도 순간에 그대를 앞질러 사라짐을 생각하라. 이 모든 것들의 본질은 끊임없이 변하여 흐르는 물이다. 영원한 것은 없다.[62]
> 우리를 이 세상에 보낸 이에게 원망하겠는가? 너를 이곳에 보낸 자는 불의의 재판관도 아니요, 폭군도 아니며 자연이다.[63]

🗨 마이크로비치 산책

하루 오전 내내 마이크로비치에서 산책을 즐겼다. 되도록 넓은 범위를 훑어보려고 사이판의 남서쪽에서 시작하는 마이크로비치로 갔다. 왼쪽에는 망망대해와 조용하고 아름다운 백사장이 오른쪽에는 아름다운 리조트와 정원이 펼쳐진 사이에서 산책했다.

---

62 페이터가 아우렐리우스의 『명상록』에서 인용한 글이다: 위의 책, 176쪽.
63 페이터가 아우렐리우스의 『명상록』에서 인용한 글이다: 위의 책, 176쪽.

잔잔한 파도는 심해의 비밀을 실어 나르듯 쉴 새 없이 쏴쏴 소리를 내며 해안에 물거품을 터뜨린다. 못 들은 척하고 발길을 돌리려 하면, 파도는 항의라도 하듯 더 큰 물거품으로 발등을 덮는다.

산책로는 나지막하게 해안과 접해 있어, 수평선 너머의 망망대해는 위압적으로 보이기까지 한다. 더욱이 한낮의 태양이 바다 위를 내리쬐면 그 반사광은 어마어마하다. 왼쪽의 바다와 해변 그리고 오른쪽의 대지와 인간이 만든 건물들이 놓인 두 세계 사이로 산책한다는 것은 감미로운 일이다.

하늘과 땅 사이에, 시간과 영원 사이에, 유한과 무한 사이에, 신과 동물 사이에 '사이-존재'로 살아가는 인간이 사이-길을 따라 산책한다는 것이 신비하게 와 닿는다. 아름다운 산책로도 끝이 있어서 영원토록 이 길 위에 머물 수 없다.

인간은 좋은 길이든 흉흉한 길이든 '길 위에 있는 존재'로 살아갈 따름이고, 언젠가는 이 길에서 벗어나 전혀 길 같지 않은 길을 건너가야 한다. 길이 아닌 것으로 보이는 모래톱을 건너 무한의 심연을 건너야 한다고 테니슨(Alfred Tennyson, 빅토리아시대의 시인)은 시구(詩句)에서 드러내고 있다.

그는 모래톱을 지나 심연을 향해 미지의 여행을 행할 때 자신의 인도자(절대자)를 대면해 보고자 했다. 테니슨은『모래톱을 건너며(Crossing the Bar)』에서 인간의 운명을 심층적으로 드러냈다.

해는 지고 저녁별,
날 부르는 분명한 소리 하나.
모래톱에 풍랑소리 없거라,
내가 바다로 떠날 때에.

움직이는 물결도 자는 듯이
소리도 거품도 일지 말거라,
가없는 깊은 바다에서 왔던 것
다시 집으로 돌아갈 때에.

황혼이 오자 저녁 종소리,
이윽고 그 뒤에는 캄캄한 밤.
마지막 떠남의 슬픔이 없을진저
내가 배 위로 오를 때에.

시간과 장소의 경계를 넘어
물결은 나를 멀리 가져가도,
나의 인도자를 상면해 보고저,
내가 사주(沙柱)를 건널 때에.

황혼이 올 때, 저녁 종소리 울리며 별들이 나타날 때, 인생의 종착역에 다다랐을 때 우리는 분명한 부름을 받게 된다. 그것은 먼 바다에서 들려오는 소리일 수도 있고 하늘에서 들려오는 소리일 수도 있으며 인생의 심연에서 흘러나오는 소리일 수도 있다. 때가 오면 귀향길에로의 여행에 나서야 한다. 그 귀향은 복되고 성스러운 것일까? 인생을 어떻게 살았느냐에 따라 달라질 수 있을 것이다.

그러나 인간은 복되고 성스러운 귀향이 아니어도 귀향길에 나설 수밖에 없다. 시꺼먼 심연은 무섭기만 한데, 우리는 큰 담력으로 이 미지(未知)의 귀향을 감행할 수 있을 것인가. 그러나 테니슨은 우리의 고향이 가없는 심연이기에, 주저 없이 귀향길에 나서야 한다고 타이른다.

황혼과 함께 곧 캄캄한 어둠은 올 것이고 승선한 우리는 물결을 따라 우리의 발원지로 서서히 나아갈 것이다. 고맙게도 어둠이 깔린 밤하늘에 깜박이는 별들은 우리를 부르고 손짓할 것이다. 우리가 미물에 불과하다고 해도 우주의 한 가족이기에, 별들은 깜박이며 우리를 부르고 있다.

이 세상이 아름다운 만큼 세상 너머의 세상도 결코 기만적이지 않을 것이다. 존재하는 것, 존재하게 된 것, 생성하고 소멸하는 모든 것은 신비한 기적의 영역 속에 있다. 그러니 모든 변화와 존재에도 기적은 숨어 있다.

바다와 하늘에 광휘의 무대를 펼치는 자들, 모든 신비한 존재자들이 존재하는 것, 생성하고 소멸하는 모든 것이 기적의 영역이라면, 이 광휘의 무대를 펼친 절대자의 존재가 전제되지 않을 수 없다. 라틴어의 속담이 일러주듯이 '이유 없이 존재하는 것은 없기 때문이다(nihil est sine causa).'

인간의 운명은 절대자와의 관계에서 결판나는 것인지도 모른다. 인간에게는 절대자와의 유기적 관계에서 궁극적인 존재의미가 드러나기 때문이다. 엘리아데(Mircea Eliade)에 의하면 인간은 지상에서 어떠한 유형의 삶을 살든 상관없이, 철두철미하게 절대자와 관련된 삶 속에서 그의 존재의미가 드러난다.

엘리아데는 인간의 본질을 '종교적 존재(Homo religiosus)'로 규명한다.[64] 인간은 본질적으로 절대자의 가까이에서 살기를 원한다는 것이다. 인간은 어떤 형태로든 초자연적인 것과 초인간적인 것, 신적인 것과 영원한 것과의 접속을 통해 삶을 영위하고, 초월자와 관련을 맺지 못하면 살 수 없다는 것이다. 인간은 '태초의 완전성에 대한 향수'를 갖고 있으며 근원을 향한 향수가 있다.[65]

---

64 M. 엘리아데, 이동하 옮김, 「聖과 俗」, 학민사, 1996, 17쪽, 58, 81–82, 145 이하 참조. 엘리아데가 '종교적 존재'라고 해서 현실세계의 구체적인 유형의 종교를 말하는 것은 아니다.
65 앞의 책, 81–82 참조.

물론 우리는 기적의 연출자와 절대자를 대면한 적은 없다. 이 세상 너머의 세상에 관해 아는 바도 없다. 그러나 기적의 존재자들이 광휘의 무대를 장식하는 데서 절대자를 추리해볼 수 있다. 이 기적의 현상 안에서 그렇게 믿고 감행하는 것은 하나의 '아름다운 모험'(플라톤, 파스칼)이다.

인간은 원천으로 가야 하는 운명이기에, '원천으로 가는 것을 두려워'[66]하지 말아야 한다. 인간은 시간과 공간이 쳐놓은 그물망을 찢을 수 없을 것이다. 시공의 한계를 비웃고 경계선을 넘나들 수 없다.

그러나 가시적 세계에만 파묻혀 살아야 하는 존재는 아닐 것이다. 인간은 무한한 수평선과 지평선의 저쪽에, 이 공간을 열어젖히고, 무한과 초월의 세계로 다가서 운명과 이 세계의 비밀을 알길 주저하지 않을 것이다.

신비스러운 산책로를 따라 산책하면서 온갖 상념에 잠겨 걸음이 퍽 많이 옮겨진 듯하다. '잠시 쉬어가는 곳'이란 이름을 가진 마나가하섬이 보이는 곳에서 휴식해야겠다. 점심식사를 단단히 하고 선셋크루즈에 나서야 할 것 같다.

---

66 휠더린은 「회상」에서 '… 많은 사람은 원천에 감을 두려워한다'고 읊었다.

🗨 태양의 마술

오후 무렵 선셋크루즈를 위해 제법 많은 사람이 선착장에 모였다. 남태평양 바다에선 어느 곳이나 일출과 일몰의 광경이 대단해서, 자연에 민감한 반응을 보이지 않는 사람들도 태양이 연기하는 기이한 놀이에 동참하는 모양이다. 배는 서서히 항구를 빠져나갔다. 출항엔 으레 그렇듯 갈매기들이 배 위로 날아 출항을 축복했다.

태양빛이 바다 위를 맹렬하게 내리쬐니 나의 시선도 그쪽으로 쏠리어 대자연이 펼치는 마력에 신경을 곤두세웠다. 태양빛은 마술을 부려 무한의 대양 위에 빛의 양탄자를 깔았다. 오후가 깊어지면서 태양의 마법이 본격적으로 시작되는 모양이다.

분홍빛을 띤 불그스레한 빛이 바다 위에 쫙 깔리고 점차 그 세력이 하늘 위까지 퍼졌다. 구름도 빛의 마법에 녹아 빛과 색의 왕국으로 편입되고 만다. 빛의 향연이 펼쳐지는 공간에 돛을 단 세일링보트 한 척이 저 멀리서 항해하고 있다. 수평선에 닿은 하늘은

진홍색의 색깔을 그리고 높은 하늘은 노오란 색으로 채색되었다.

빛의 마법에 걸려 나는 이미 몽롱한 상태가 돼버렸다. 바다와 하늘, 땅과 사람마저도 빛의 왕국에 휩싸이고 만다. 빛을 규명한 과학의 이론들이 타는 저녁놀에 무용지물이 되고 만다. 빛이 입자라고 했던 뉴턴의 이론도, 빛이 파동이라고 했던 호이겐스의 주장도, 빛이 이들을 합친 광량자라고 했던 아인슈타인의 주장도 노을빛이건 마법의 황금색에 녹아내리고 만다. 맨정신으로 빛이 수놓은 무대를 보기 어렵다.

배가 약간 흔들리고 잔잔한 파도가 일어날 때, 파도는 황금의 종이가 이리저리 구겨지는 것처럼 보인다. 나는 여전히 태양빛의 마법에 걸려 몽롱한 상태에 놓여 있었다. 진홍색의 하늘과 깊이를 가늠할 수 없는 심연의 바다는 태양빛을 받아 황금을 토해내는 것 같다.

태양이 서쪽으로 기울수록 무시무시한 바다는 검붉은 색을 띠기 시작하고 내 혼을 빼앗아 어디론가 자취를 감추어버린다. 짙은 어둠이 바다 위로 내려앉고 별들은 하나둘씩 빛을 발하며 하늘을 밝히기 시작한다. 온화한 열대의 바람이 귓가를 스칠 때 항구로 뱃길을 돌렸다.

티니안,

작은 섬에도 안식이!

💬 문명을 벗어난 작은 섬

북마리아나에서 잘 알려진 휴양지인 사이판보다 더 한적한 분위기를 드러내는 섬이 티니안이다. 문명세계에서 벗어나고 싶거나 고단한 일상에서 벗어나 자연 가운데 심호흡 하고자 하는 이들에겐 아직 개발되지 않은 자연환경을 지닌 티니안이 더 큰 호기심을 불러일으킨다.

사이판 공항에는 자정이 넘어 도착했다. 간단한 입국수속을 거쳐 짐을 찾고서 곧바로 티니안행 경비행기 타는 곳으로 갔다. 나비인형 같고 잠자리인형 같은 6~7인승 경비행기로 사이판과 티니안 사이의 약 5km 바다를 건넌다. 경비행기는 '앵-'하는 소리를 내며 하늘을 날아 약 10분 만에 티니안에 데려다주었다.

다음 날 아침 눈을 떴을 땐 호텔에서 바라본 전경이 황홀하게 들어왔다. 타가비치의 아름다운 해변에 자리한 호텔에선 태평양이 한눈에 들어왔다. 강렬한 태양은 거친 티니안의 아침 바다를 비추고 있다.

티니안 남쪽의 고트섬이 엎어놓은 접시처럼, 접시비행기(UFO)의 착륙장처럼 한눈에 들어온다. 태평양에서 불어오는 선선한 바람이 정글의 수풀에서 나오는 공기와 함께 도시에서 상한 마음을 어루만진다.

🗨 타가하우스

아침식사 후 티니안섬 관광에 나섰다. 티니안의 절경과 역사적인 장소를 둘러보는 것이다. 호기심을 싣고 승합차에 올랐다. 차창 밖으로 보이는 밀림은 사람이 발을 들여다 놓기도 어렵게 보였다. 거친 해풍에도 빽빽하게 들어선 수목은 생명력을 뽐내고 있었다.

얼마 안 있어 타가(Taga)하우스에 도착했다. 태평양을 항해해 이 섬에 도착한 부족들이 정착해 삶을 일군 흔적이다. 그러나 그 역사와 인류학적 비밀은 전승되지 못하고 흔적만 남았다. 식민지 개척시대 이래 이 작고 조용한 원시의 섬을 차지하려고 스페인과 독일, 일본과 미국이 각축전을 벌였다. 이런 틈바구니에서 원시 문화가 그대로 남아 있을 리 없다.

미미하게 남은 원시의 흔적이 바로 타가하우스다. 부족의 족장 '타가'가 거주했던 타가하우스는 고대 원시 차모로들이 만든 마리아나 제도에서 가장 규모가 큰 라테(Latte)유적이다. 집을 지을 때 기둥으로 사용되었던 높이 6m의 라테스톤이 흩어져 있어 당시의 규모와 위용을 짐작케 한다.

원시 차모로(Chamorro)들의 독특한 건축문화를 엿볼 수 있는 유적이다. 인류사에 등장한 거석문화(Megalitkultur)의 일환이 아닐까 짐작한다. 라테스톤의 정확한 용도와 세워진 시기는 아직도 밝혀지지 않고 있으며, 약 3,500년 전의 유물이라는 사실만 알려져 있을 뿐이다.

고래 숨구멍 같은 바위 구멍에서 우람한 소리와 함께 물기둥이 하늘로 솟구치는 블로홀(Blow Hole)을 구경하고 '별모래해변'이라고 칭하는 출루비치로 향했다. 태평양전쟁의 섬뜩한 모습이 서려 있는 곳이다.

출루비치로 가는 길에 전투기 활주로가 나타났다. 일본이 만든 활주로는 강제로 동원된 한국인이 모진 고통을 받으며 건설했다. 일본의 실상을 세계에 밝히고 야만성과 비인륜성을 적나라하게 밝혀야 한다. 세계는 가혹한 태평양전쟁의 진상을 너무도 모른다.

문제는 일본이 여전히 반성하지 않고 '대동아 공영'이라는 말도 안 되는 변명으로 맞서고 있다는 것이다. 독일은 전범들을 처단하고 있고 그 잘못을 문화, 예술, 정치, 법, 문학, 사회, 교육 등 여러 방면에서 반성하고 있다. 또한 천문학적인 금액으로 배상하고, 정치인들이 솔선수범해 반성한다. 일본의 비극은 반성이 없다는 것이다.

온갖 쓰라린 역사를 되새기며 별모래해안에 도착했다. 티니안의 북서쪽에 자리한 출루비치는 태평양전쟁 당시(1944년) 미국 해병대가 상륙장소로 이용해 랜딩비치라고도 불린다. 대포를 맞고도 무너지지 않은 일본의 야전초소 외에 이렇다 할 전쟁상흔은 보이지 않고, 거친 파도소리만 요란하게 진동한다. 야자수가 우거진 한적한 해변이 인상적이다.

별모래해변엔 붉고 고운 모래 외에 화산이 터졌을 때 흘러내린 마그마가 식어 만들어진 바위들과 돌멩이들, 부러진 산호의 조각들이 여기저기 뒤섞여 있고 거친 파도소리까지 곁들여 원시의 자연을 연상케 한다. 우거진 야자수 사이로 한적한 해변을 조금 더 걸어가니 빽빽한 밀림이 가로막는다. 자연의 모든 모습이 정답다.

● 밤의 숲길

정글투어를 안내하는 원주민 가이드는 정글의 전체적인 사항뿐만 아니라, 중간중간 요지가 되는 곳에 정차해 이런저런 설명을 해주었다. 햇빛도 침투하지 못할 정도의 빽빽한 밀림, 길가 잔디와 억새풀들, 간혹 나타나는 열대과일의 나무들과 이름 모를 억센 나무들 등이 눈앞에 다가왔다. 태양빛이 정글 속 길을 비췄고, 나는 아름다운 수목들에 수없이 눈인사를 보냈다.

이슥한 밤이 되었을 때 나는 밤바다의 파도소리를 듣기 위해 바닷가로 나갔다. 파도도 잠을 청하는지 바다는 조용하게 속삭였다. 끝없는 태평양의 심연에서 보내는 파도 속에 신비의 메시지가 있는가 싶어 오랫동안 귀기울여보았다. 때와 장소, 상황에 따라 달리 들리는 자연의 소리는 자장가 멜로디처럼 다가온다.

가끔 있는 가로등도 멀리한 채 어두운 숲길로 들어섰다. 밤하늘의 별들만이 걸음을 인도하며 내가 이름 모를 행성에 불시착하지 않았음을 일러주고 있다. 밤은 안온하게 깊어 간다. 하늘과 무한한 대양, 작은 대지인 섬과 깜깜한 숲길 등 천지가 어두운 밤의 베일에 안겨 있으니 낭만주의 시인 노발리스(Novalis)의 『밤의 찬가』를 음미할 절호의 기회다.

밤은 정적이 지배하는 정지된 세계가 아니라 낮을 태동시키는 힘을 안고 있으며 만물을 약동하게 할 준비를 조용히 진행한다. 섬세한 영혼은 밤이 말없이 초자연적 마법을 걸어 거대한 존재사건을

일으키는 것을 눈치챈다. 눈에 보이는 세상의 모든 존재자는 눈에 보이지 않는 존재의 지평 위에 존재하는 것처럼, 밤은 만물을 자신의 품속에 고이 간직하고서 일일이 돌보고 있다.

'말로 표현할 수 없을 만큼 성스럽고 신비로운 밤의 세계로 향한다.'[67]는 노발리스의 말처럼 안온한 어둠의 숲길에 펼쳐진, 별들이 지켜보는 밤의 세계로 나아가보자. 인간세상의 상식을 짓뭉개는 밤의 세계가 온 우주를 장악하고 있는 것만 같다.

『밤의 찬사(Hymnen an die Nacht)』에는 노발리스의 독특한 윤회사상이 드러난다. 노발리스의 영적인 순례가 빛에서 밤으로, 밤에서 잠으로, 잠에서 꿈으로, 꿈에서 죽음으로, 죽음에서 새로운 탄생으로 나아가기 때문이다.

이 순례에서 죽음은 허무한 종말이 아닌 새로운 시작이다. 노발리스에게 죽음은 빛과 밤, 감각과 정신의 문턱이라는 세계의 경계에 있고 새로운 생명을 탄생시키는 것이다.

독일낭만주의 경향이 강했던 당대에 청년 노발리스는 아리따운 여인 조피(Sophie von Kühn)와 약혼했지만, 그녀는 2년 후 병사(病死)하고 만다. 그후 조피는 그에게 점점 상징적 존재로 변모된다.

---

67 노발리스, 이유영 옮김, 『밤의 찬가』(한독 대조), 민음사, 1976, 24쪽. 원문은 다음과 같다: Abwärts wende ich mich zu der heiligen, unaussprechlichen, geheimnisvollen Nacht.

『밤의 찬가』는 조피에 대한 강력한 추모의 정에서 탄생했다. 요절한 연인 조피는 가인(歌人)에게 '밤의 태양'으로 나타나고, 가인은 밤의 태양인 연인의 품에서 진정한 인간으로 깨어난다.

노발리스에게 밤은 만물의 어머니이면서 신성한 세계를 알리는 전령이다.[68] 빛은 사물의 창조자이지만,[69] 밤을 사랑이란 딸을 둔 어머니 같은 지혜로 예찬한다. 낮의 활동은 불행한 것으로, 밤의 신비로운 흔적을 소멸케 하는 것으로 묘사한다.

낮의 빛은 제2찬가에서 소멸하는 유한한 것으로 규명하고, 밤의 세계는 시간과 공간을 초월한 4차원의 세계로 받아들여진다.

> 빛에는 시간이 할당되어 있지만, 밤이 지배하는 세계엔 그러나 시간도 공간도 없으며, 오직 잠만이 영속할 따름이다. 밤에게 부름 받은 자인 성스러운 잠은 도무지 저런 세속적인 낮의 활동에 행복할 수 없다.[70]

잠은 의식활동이 정지된 영원의 세계다. 잠은 감각과 의식을 초월한 상태를 일컬으며, 동시에 시간과 공간의 제약을 벗어난 영원성에 잇대어 있다. 잠은 참된 밤의 세계를 알고 있는 사람에게만 열려있다.

---

68 위의 책, 제2찬가 참조. 69 위의 책, 제1찬가에서 강조. 70 위의 책, 36쪽(필자 역).

노발리스는 밤의 세계를 모르는 이들을 바보(die Toren, 우둔한 자들)라고 하며, 바보는 잠의 상징적 의미를 모른다고 말한다.[71] 그에게 밤은 신비로운 세계로 인도하는 말없는 사도다. 잠의 세계가 펼치는 무의식이 생명의 바탕이고 영원한 계시다. 밤의 세계에 대한 예찬은 제1찬가의 중간 부분에서 나타나기 시작한다.

내 마음속 깊이 갑자기 예감을 솟아나게 하고

슬픈 분위기를 삼키는 것은 무엇일까?

어두운 밤이여, 그대 또한 우리에게 호의를 갖고 있는가?

그대의 외투 속에 감추고 있는 것, 보이지 않지만

그토록 억세게 내 영혼을 움직이는 것은 도대체 무엇이냐?

양귀비의 꽃다발에서 향긋한 향유가 그대의 손에서 떨어지는구나.

그대는 밤의 정취의 묵직한 날개를 높이도 펼치는구나.

아늑한 어둠 가운데 우리는 말할 수 없을 정도로 감동되었다.

나는 부드럽고 경건하게 나를 굽어보고 있는 그대 진지한 얼굴을

기쁨에 벅찬 나머지 놀랍게 바라보았다.

그리고 한없이 헝클어진 머리 아래에는

어머니의 아리따운 젊은 시절의 모습이 나타난다.

---

71 위의 책, 제2찬가 참조.

이제 낮의 빛이 얼마나 초라하고 유치하단 말인가!

낮과의 작별은 얼마나 기쁘고 축복스러운가.

…

밤이 우리에게 열어젖히는 무한한 눈길은

그 어느 반짝이는 별들보다도 숭고하게 여겨지는구나.[72]

---

72 위의 책, 29쪽(필자 역).

아래에 이어지는 시구(詩句)에서 노발리스는 밤이 상냥한 연인인 '밤의 태양', 즉 조피를 보내주었다고 한다. 이 연인은 가인에게 밤을 생명이라고 일러주었고 참다운 인간으로 깨어나게 해주었다고 읊고 있다. 노발리스에게 밤의 세계는 낮의 의식활동이 정지된 세계이다.

밤의 세계에 눈을 뜬다는 것은 무의식의 세계에 눈을 뜬다는 것이다. 의식의 심연이 극복된 무의식의 세계는 대립이 멈춘 영원의 세계이고 생의 본질적인 세계이다. 이 세계에 눈을 뜬 자는 밤의 세계를 통해 영원의 세계를 알게 된다. 인간은 영원성과 유한성을 동시에 공유하는 존재다.

그대 밤의 희열, 천상의 졸음이 나를 엄습하자.

주변이 부드럽게 솟아오르고, 그 땅 위에는

나의 자유롭고 새로 태어난 정신이 둥실둥실 떠도는구나.[73]

가인(歌人)은 황홀한 밤의 희열을 맛보며 밤의 태양인 작고한 연인에게 밤을 섬세한 윤곽과 우아한 색깔로 치장해줄 것을 요구

---

73 위의 책, 40쪽(필자 역).

하다가, 밤이 연인의 우아한 차림과 고귀하고 사랑스러운 의미를 부여했는지 되묻고 있다.[74]

노발리스에게 밤은 창조적인 세계의 어머니이다. 낮은 역설적으로 밤의 품속에 있으며, 밤이 보호하고 지켜주지 않으면 소멸하고 마는 세계이다. 빛이 사라진 세계에 이제 영원한 세계와 인간의 새로운 중개자로서 밤이 무대 위로 오른다.

어두운 밤의 세계만 남았으며, 이 세계는 신비로운 불가사의한 존재로 남게 되었다. 낮의 빛은 이제 신들의 안식처가 아니어서, 신들은 이제 밤의 품으로, 즉 '새롭고 장엄한 모습으로 변해버린 세계로 가고자 잠들었다.'[75]

해변을 두들기는 소리가 굉장하다. 파도는 태평양의 심연에서 발원해 거대한 물결층과 으르렁거리는 소리를 동반하며 대지쪽으로 돌진하고 있다. 어둠 속에서 허연 이빨을 드러내며 해안을 두들기는 소리는 대지에 큰 소리와 포말을 흩뿌리고 난 뒤에야 정적 속으로 사라진다.

둥근 달이 뜨자 바다도 바닷가의 바위도, 대지 위의 수목들도 은은한 은빛의 보석으로 변하여 생명의 축제를 연다. 대립이 멈춘 영원의 세계가 펼쳐지는 것이다.

---

74 위의 책. 제4찬가 참조. 75 위의 책. 59쪽.

발리,
남국의 정원

🗨 신들의 섬

어느 추운 1월, '신들의 섬'이라 불리는 인도네시아의 발리로 여행을 떠났다. 나는 당시 세계의 신화에 심취해 있어, 발리라는 섬이 '신들의 섬'이라고 불리는 것에 호기심을 갖게 되었다.

1주일간의 제법 긴 여행이라 읽을거리도 잘 챙겨야 했는데, 자연과 여행에 어울리는 책을 찾다가 우연히 반 고흐의 『영혼의 편지(The letter of the soul)』를 배낭에 넣게 되었다.

여행길엔 여행에 잘 어울리는 책을 골라야 한다. 지나치게 어렵거나 지루한 책, 너무 알맹이 없는 피상적인 책은 피하는 것이 좋다. 시원한 야자나무 아래서나 적적한 밤에 책 읽기가 딱 좋다.

『영혼의 편지』에는 고흐의 예술철학이 담겨있다. 고흐가 동생 테오와 나눈 편지가 책의 주 내용이다. 그림을 그리며 생계를 동생 테오에게 의존했던 고흐의 고달픈 인생, 당대엔 그의 미학이 이해받지 못해 더더욱 생활에 어려움을 겪게 된 것 등을 알 수 있었다.

　오전 11시 15분 비행기는 발리로 출발했다. 서쪽으로 날아가며 태양과 하늘, 바다와 대지를 관찰할 수 있다고 여겨 기대에 부풀었다. 비행기에 탑승해 『영혼의 편지』를 읽다가 틈틈이 비행기의 창밖을 통해 바다와 하늘의 세계를 바라보았다. 태평양을 지나 인도양까지 날아가는 비행기에서 한눈에 바깥세계와 하늘을 본다는 게 신기했다.

　비행이 더 즐거웠던 것은 『영혼의 편지』를 통해 고흐의 미학세계와 예술철학을 들여다보았기 때문이다. 표현주의 기법을 통해 드러낸 그의 예술세계가 감동적으로 와 닿았다. 강렬한 색채로 사물을 있는 그대로가 아닌 자신의(인간의) 내면세계와 융합해 드러낸 예술철학에 감동했다.

　고흐의 그림을 통해 지상에서 볼 수 없는 천상의 어떤 장면을 볼 수 있는 것 아닐까. 『영혼의 편지』를 읽은 이래로 나는 그의 그림을 내 공부방에 걸어놓았다. 책상 앞 벽면에 걸린 〈별이 빛나는 밤(The Starry Night)〉이라는 작품엔 그의 혼이 별들 사이에 떠다니는 것 같다.

🔵 바롱댄스와 선악의 세계

열대의 공기를 한껏 들이마시며 잠에서 깨었을 때 태양빛이 커튼의 틈새를 강하게 비집고 들어왔다. 발코니에서 맞는 아침은 열대의 세계를 충분히 감지하는 데 부족함이 없었다. 각종 열대과일과 이국적인 음식으로 아침식사를 하고, 바롱댄스를 관람하기 위해 잠베 부다야(Jambe Budaya)로 갔다.

공연장은 야외무대인데, 전통양식의 지붕과 천장만 있고 주변엔 열대 나무가 가득해 자연미가 물씬 풍겼다. 무대의 왼편에는 가믈란합주단이 바롱댄스가 열리는 동안 특유의 전통음악을 연주하고 있다. 이 음악엔 명상적인 분위기를 자아내는 반복되는 리듬이 많았다. 바롱댄스는 민속공연이라고 하는 것이 더 적합한 것 같았는데, 종교와 철학과 예술의 뼈대를 갖춘 공연이었다.

바롱을 비롯해 등장하는 인물들의 의상부터 압권이다. 힌두교의 여러 신 모습을 하고 등장한 인물들은 관객의 시선을 사로잡았다. 사자 탈을 쓰고 무대에 등장하는 바롱은 아주 근엄하고 위세등등하다. 바롱댄스는 초자연적인 힘을 가진 성스러운 짐승 바롱과 악녀 랑다 사이의 싸움을 주 내용으로 한다.

바롱은 발리 힌두교에서 선의 상징이다. 여러 얼굴을 가진 그는 210일(힌두교의 달력으로 1년)마다 마을로 찾아오는 악령들을 진정시키기 위해 마을을 휘젓고 다닌다.

서막의 무대엔 신들린 듯한 가믈란연주가 요란하게 울려 퍼진다. 지하의 정령들을 불러내기 위해 고음(高音)의 가믈란합주가 신비롭게 울려 퍼지는 가운데 바롱이 우람한 모습으로 무대에 나타나 춤춘다.

북소리를 신호로 신비한 울림이 증폭되며 장대한 합주가 시작된다. 관객은 바롱에 도취되거나 랑다의 마법에 걸린 것처럼 홀려 바롱극에 끌려간다. 화려하고 무시무시한 가면과 복장, 원색의 강렬한 색상, 공연 내내 흐르는 가믈란합주는 관객의 혼을 빼앗는다.

이어서 무희들이 현란한 춤사위를 펼치며 무대에 등장하는데, 느릿느릿한 동작이지만 팔과 손가락을 절묘하게 비비 꼬고 가슴과 허리, 엉덩이를 나선형으로 비틀며 춤추는 몸짓이 신들린 듯 해 관객을 홀딱 빠져들게 만든다. 이들은 악녀 랑다의 시녀들이다.

이후 바롱에 속한 인물들과 랑다에 속한 인물들 사이에 엄청난 선악투쟁이 역동적으로 전개된다. 결국 랑다가 죽었지만 선악 사이의 싸움이 끝난 것은 아니다. 죽음은 영원한 죽음이 아니고 정화수만 뿌리면 얼마든지 다시 살아나 악행할 수 있다. 랑다는 여전히 해마다 악령들을 마을에 출몰시키고, 바롱 또한 악령들을 진정시키기 위해 마을을 휘젓고 다닌다.

공연의 종반에는 바롱에 대항하는 악녀 랑다가 등장해 무시무시한 싸움이 전개되는데, 싸움은 영원히 끝나지 않은 채 막이 내린다. 선이 승리하도록 구성되었다면, 종교문학작품이나 대서사시의 성격을 가질 것이다. 그러나 한쪽의 승리나 패배로 끝나지 않은 채 막이 내려지는 데 심오한 철학적 배경을 갖는다.

우리는 어려서부터 학교와 오랜 유교적 전통의 가정과 사회에서 권선징악을 배워왔다. 기독교와 불교에서 '나쁜 짓 하면 지옥에 간다.'는 식으로 선이 악을 물리치는 걸 올바른 것으로 배워, 힌두교 교리는 낯설게 여겨진다. 바롱댄스는 선과 악은 균형을 이루어 한쪽이 절대적으로 승리하거나 몰락할 수 없다는 걸 보여준다.

적어도 발리에서는 절대선과 악의 상징 바롱(Barong)과 랑다(Rangda)가 계속 치열하게 싸우고 있다. 바롱댄스의 내용처럼 세상에는 선과 악이 공존한다. 때론 선이 있는 쪽, 또는 악이 있는 쪽으로 시소게임을 한다. 우리 마음속에서도 선과 악이 싸울 때가 있다.

선과 악은 인간의 마음에 공존하고 있다. 이를 억지로 선과 악에 대한 이원론으로까지 확장할 필요는 없다. 그것은 빛과 어둠, 삶과 죽음처럼 우리 인간과 세계를 현사실적으로 지배하고 있기 때문이다. 선과 악은 끊임없이 다투며 인간의 운명을 조우하는 것처럼 보인다.

바롱댄스는 인간세상이 선이나 악으로만 지배되는 것이 아니라 항상 함께 존재한다는 것을 밝힌다. 그래서 발리사람들은 선과 악의 상징인 바롱과 랑다를 모두 경배하며 제물을 바친다. 신앙과 삶을 밀착시킨 그들은 아침, 점심, 저녁으로 작은 바구니에 넣은 제물 '차낭사리'를 집 안팎 곳곳에 놓으며 힌두신에게 기도를 올린다.

거주하는 집의 안팎, 화장실, 골목길, 상점, 산과 바다 등에도 악령과 마녀가 득실거린다고 생각하고 선한 신과 악령에게 동시에 제물을 바치며 가정과 개인의 평안을 꾀한다. 악령의 존재를 부정하지 않고 제물로 달래는 것은 지혜롭게도 보인다.

그리스신화에서 트로이전쟁의 원초적 발발원인은 싸움의 여신 엘리스를 냉대해 산장의 잔치에 초대하지 않았기 때문인데, 발리사람들은 악령을 오히려 달래고 있다. 그래서인지 발리사람들은 화를 내지 않고 이방인들을 미소로 대한다고 한다.

공연이 끝나자 관객들은 압도적인 의상과 몸동작 및 전통춤에 고무되어 서로서로 얘기를 나눴다. 선악과 공존해야 하는 인간의 운명을 다룬 철학을 나 역시 거듭 음미하며 차원 높은 예술적 문화적 가치에 박수갈채를 보냈다.

💬 낀따마니화산

전용버스를 타고 낀따마니(Kintamani, 1,460m)산으로 향했다. 산이 워낙 크고 넓다 보니 위로 올라가는 느낌이 들지 않는데, 그래서 낀따마니고원으로도 불린다. 원시림을 뚫고 완만한 비탈길을 계속 나아가는데, 길가에서 좀 떨어진 곳엔 몇몇 인가도 보였다. 자연 속에 폭 빠진 집들이 오후 햇살을 아름답게 반사하고 있었다.

정상 전망대에선 시원한 바람이 불어왔다. 전망대 앞에서 조금 떨어진, 깎아지른 듯 서 있는 아방산(Abang, 2,152m)에선 시꺼먼 용암이 흘러나와 아래로 흘러내렸다.

군데군데 연기가 피어오르고 검은 마그마 때문인지 나무들은 흔적이 없다. 낀따마니는 수시로 폭발하는 활화산이고, 지금도 시꺼먼 마그마가 뿜어져 나온다. 자연이 자신을 펼치는 공간이다.

인간은 자연 앞에 미미하다. 인간이 코스모스에서 주인인 것처럼 행세한 것이 서구 근대의 주체중심주의이다. 인간이 이성을 갖고 있다고 해서 자연을 대상화하고 혼이 없고 죽어있는 사물(res extensa)로 본 것이 근대의 결정적 과오이고 오만이다.

오직 인간만이 대상(사물, 자연)을 구성할 수 있다고 하여(데카르트, 칸트, 후설 등) 자연에게서 전권을 탈취했다. 근대 이후 자연은 정복의 대상이고 경제생활의 수단으로 전락했다.

그런데 연기를 피우며 검은 용암을 분출하는 자연 앞에서, 만약 마그마가 하늘로 튀어 오르고 불과 연기가 쏟아진다면, 그래도 인간이 자연 앞에서 주인이라고 할 수 있단 말인가. 스스로 자신을 펼치고 오므리는 절대자연은 인간의 상상을 초월한다.

시선을 오른쪽으로 돌리면 깎아지른 바투르(Batur, 1,717m)산에 접한 거대한 호수가 오후의 햇살을 받으며 반사하고 있다. 높은 산 정상에, 화산이 폭발하고 용암이 분출된 곳에 움푹 파여 생긴 칼데라호수다.

신비의 비경을 간직한 바투르호수는 침묵하고 있다. 발리사람들은 이 낀따마니산을 세계의 배꼽이라 생각하고 성스러운 산이라고 믿는다. 낀따마니에서 장엄한 일몰을 바라보며 인간 세상으로 발길을 돌렸다.

● 렘봉안섬, 남국의 정원

온종일 바다와 해안에서 보내는 날이었다. 보트를 타고 렘봉안(Lembongan)섬 안으로 들어갔다. 코발트색 청명한 바닷물이 해안가에서 찰랑거린다. 새하얀 백사장에 혹시 때라도 묻힐까봐 조심스레 발을 들여놓았다.

열대의 수목이 마을의 수호신처럼 집들을 감싸고, 정원에서는 갖가지 꽃이 향기를 뿜어내 나그네를 환영했다. 소박한 집들은 여기저기 숲속에 파묻혀 있다. 자그마한 골목길은 하늘과 땅, 집과 사람, 수목과 청명한 공기를 서로 만나게 해주는 공간이다.

'그대는 아는가, 저 남쪽 나라를'에서 잘 펼쳐져 있듯 괴테는 남국의 유토피아를 그리면서 레몬꽃과 금빛 오렌지, 푸른 하늘, 부드러운 바람, 협죽도(Oleander), 월계수, 노래하는 새, 향기로운 꽃에 모여드는 꿀벌, 아지랑이 어린 영원한 봄 나라 등을 전령으로 나열하고 있다.

그러나 이 마을에서는 전령의 범위를 넘어 모든 존재자(하늘, 태양, 땅, 마을, 집, 정원, 수목, 바다, 해안, 햇빛, 골목길 등)가 자기 존재의 충만을 흘러넘치도록 발휘하고 있다.

괴테는 교통수단이 아주 형편없던 시대에 마차를 타고 이탈리아까지, 다시 이탈리아의 나폴리와 최남단 시칠리아까지 가서야 남국에 대한 갈증을 해소했다고 헤르더에게 편지를 썼다.

시칠리아에 대해 위대하고 아름다우며 비교할 바 없는 이미지를 마음속에 이토록 명료하고 완전하게 간직해 간다고 생각하니 정말로 행복합니다. 어제는 페스툼을 보고 돌아왔으니, 이제는 남국에서 더 이상 간절히 그리워할 것이 없답니다.[76]

---

76 J.W.von 괴테, 박영구 옮김, 『괴테의 이탈리아 기행』, 푸른숲, 2002, 336쪽.

남국에 대한 갈증은 이 세상에서 궁극적으로 성취할 수 없는 '영원의 본향' 문제와도 연계된다. 인간은 스스로 이 문제를 해결할 수 없다. 우리는 영원한 본향, 영원한 파라다이스를 그리며 살다가 어디론가 떠나기 때문이다.

동서양을 막론하고 인간은 파라다이스를 그려왔다. 그리스어 어원인 유토피아를 Outopia로 읽을 때는 'no-place'의 의미와 유사하게 '이 세상에 없는 곳'을 뜻하지만, Eutopia로 읽을 때는 'good-place'를 의미하는 아주 '좋은 곳'을 뜻한다.

유토피아를 동양에서는 낙토(樂土), 낙원(樂園), 복지(福地), 승지(勝地), 선경(仙境), 천향(天鄉) 등으로 나타냈다. 낙토와 낙원은 즐거움이 넘치는 곳, 복지는 축복받은 땅, 승지는 선택받은 땅, 선경은 신선들이 사는 곳, 천향은 고구려인들이 고분벽화에 그려놓은 하늘의 고향을 말한다.

이 세계와 자연, 인간 등 만물이 존재하는 것은 기적의 영역이다. 기적의 세계가 존재한다면, 기적의 연장선에서 완전한 세계를 그려볼 수 있다. 우리가 사는 세계는 불완전과 완전 사이, 시간과 영원 사이에 놓여 있다. 그렇다면 완전과 영원의 세계가 존재할 수 있는 가능성과 존재해야 하는 당위(Sein-sollen)를 전제할 수 있다.

앙코르와트,
문명과 자연의 공존

● 어색한 공존

　　수 천 년 전 건립된, 원시의 자연 속에 숨어 지내온 앙코르유적으로 걸어 들어간다. 냇가처럼 보이는 해자 위로 건립된 바위덩어리 다리를 지나면 위압감에 사로잡힌다. 거대한 바위사원인 앙코르와트는 광범위해 어디서부터 시작해 어디로 가야하는지 윤곽조차 그리기 어렵다.

　　앙코르와트는 장엄함과 웅장함, 자연미와 아기자기한 예술품으로 장식된 정교함까지 갖춘, 세계에서 보기 드문 보물이고 아시아의 자랑이다. 앙코르와트 앞에선 피라미드든 루브르박물관이든 왜소할 따름이다. 거대한 바위사원을 제대로 볼 수 있을지 의심이 든다.

새벽과 아침, 한낮과 저녁, 석양 때와 한밤중 등에 걸쳐 시시각각 다른 모습을 드러내는 바위사원을 하나로 만나기는 애초부터 불가능하다. 이쪽저쪽 다니며 앙코르와트 유적이 빛과 그림자 속에서, 햇볕과 그늘과 어둠 속에서 제각기 다른 모습을 연출하는 걸 보고 들을 뿐이다.

수만 가지 모습을 지닌 바위사원이 자신의 신비를 한마디 침묵 언어로라도 들려줄까봐 돌무더기의 한구석에 가만히 앉아 있으면

묘한 미스터리의 세계로 굴러떨어질 따름이다. 말하지 않는 바위들은 능청스런 모습으로 침묵하고 있지만, 사원을 억세고 육중하게 지키는 파수꾼이라 정겹고 아름답다.

앙코르와트엔 위대한 문명의 유산이 있지만, 한편으론 '크메르 루즈'가 남긴 끔찍한 전쟁의 상흔이 공존한다. 앙코르와트의 거대한 바위사원이 가지는 신비함과 정치이데올로기가 남긴 상처 그리고 자연이 펼치는 아름다움이 어색한 대조를 이루며 공존한다.

🔵 문명과 자연의 실루엣

앙코르와트를 돌아다니다 보면 거대한 돌담과 사원의 일부를 통째로 휘감고 있는 나무에 놀라게 된다. 석조 불상이든 사원이나 담벼락이든 틈새에 뿌리를 밀어 넣어 인고의 세월 동안 서서히 칭칭 감아온 나무뿌리가 괴이한 생명체처럼 무섭게 보인다. 이 두려움으로 한 가지 진리를 깨닫게 된다. 인고의 세월을 이겨내는 것은 자연뿐이고, 시간은 철저히 자연의 일부임을 선포하고 있다.

육중한 바위사원을 휘감고 담벼락을 옥죄고 있는 거대한 나무를 바라면 뭔가 감 잡을 수 없는 역학관계로 당황하게 된다. 인간에 의한 문명(육중한 바위사원)과 거대한 나무 및 시간이 만든 삼차방정식 현상이 신비롭게 여겨진다.

인간이 만든 문명을 가차 없이 칭칭 감아버리는 나무뿌리는 문명이 자연 앞에 무릎을 꿇을 수밖에 없음을 보여준다. 이와 반대로 자연을 대표하는 나무가 문명을 옥죄거나 부수어버리는 것이 아니라, 오히려 보듬고 지키는 것으로도 보인다. 나무뿌리가 건축물을 감싸지 않았다면, 담벼락이나 사원은 이미 흙으로 돌아갔거나 땅바닥으로 주저앉았을 것이다.

거대한 나무가 자신의 뿌리를 틈마다 집어넣어 돌사원과 담벼락을 칭칭 감은 것은 마치 연인을 억세게 포옹하는 것 같기도 하고 놓치지 않으려는 애증의 상징으로도 보인다. 유구한 시간의 흐름 아래 자연의 문명 파괴와 지탱, 둘이 엮는 사랑의 실루엣과 변증법적 싸움이 동시에 펼쳐지고 있다.

🗨 정치이데올로기

킬링필드(1975~1979년 캄보디아에서 급진 공산주의정권 크메르루즈가 양민 200만 명을 학살한 사건)는 세계적으로 악명 높다. 짐승도 함부로 죽여선 안 되는데, 정치이데올로기는 전쟁을 예사로 일삼고 인간을 도살장으로 내보낸다. 동족도 동포도 소용없고 한 패거리의 이데올로기가 아니라면 죽음을 면치 못한다.

야만적 정치이데올로기를 볼 때 헤겔과 다윈에게서 이론적으로 확립된 서구의 발전신앙과 진화론은 새까만 거짓임을 생생하게 목격한다. 무엇이 발전이란 말인가. 온 나라를 통째로 야만의 상태로 몰아넣은 이데올로기는 앙코르와트가 건립되던 시기의 정신문화와 비교도 안 될 정도로 퇴보한 것이다.

🗨 톤레삽호수

톤레삽호수는 동양 최대의 호수이고 남한의 1/10 크기로 큰 바다 같다. 우기에는 저수지 역할을 하는 호수엔 물고기가 많아 이곳 사람들 삶의 터전이 된다.

호수를 찾았을 땐 구름이 좀 끼어 있는 날이었고, 물은 흙탕물이라 깨끗하게 보이지 않았다. 호수 위에 수상가옥을 일구며 살아가는 사람들의 모습을 볼 수 있는데, 그 안에 학교도, 교회도 있다. 수상촌 사람들에겐 물이 고향이고 요람이며 무덤인 셈이다.

　가혹한 환경 속에서도 어린아이들은 천진한 웃음을 얼굴 가득 드러내며 선한 눈망울을 굴린다. 흙탕물에 뒹굴어도 선량한 눈빛만은 잃지 않는 이들의 삶도 훌륭하고 위대한 삶이 아닐까. 앙코르와트의 찬란한 문화가 왕족이나 귀족, 정치가들에게서가 아닌 선량한 아이들에 의해 재건된다면, 이 나라는 거듭날 수 있을 것이다.

하롱베이,
용이 토해낸 보석

🗨 보석 같은 섬이 총총히

용들이 하늘에서 내려와 입으로 토한 보석들이 섬이 됐다는 게 하롱베이에 내려오는 신화 같은 전설이다. 하롱베이는 1994년 유네스코 세계자연유산으로 등재됐다니, 호기심이 여간 발동되는 게 아니다.

제법 오랜 시간 동안 버스를 탄 후에야 하롱베이로 들어섰다. 선착장엔 이미 많은 사람으로 시끌벅적하다. 부지런히 움직여 제법 큼직한 배에 오른다. 잔잔한 호수 위를 미끄러지듯 배는 서서히 바다 한가운데로 나아간다.

여기엔 파도가 거의 없다고 하는데, 바다에 파도가 없다니 신기하지만, 하도 많은 섬이 구슬처럼 박혀 있으니 파도가 중간에 상쇄되는 것도 이해된다. 조각작품 같은 기암괴석 섬들이 여기저기 총총 박혀 있는 모습에 너나 할 것 없이 탄성을 질러댄다.

'용들이 토한 보석들이 하롱베이의 섬들로 되었다'는 표현은 지나친 형용이 아니다. 인간은 이렇게밖에 표현할 수 없을 것이다. 어떻게 기적의 산물 같은 섬들이 존재하는 사건을 우연으로 치부할 수 있다는 말인가. 존재하는 것 자체는 신비의 영역이고 '이유 없이 존재하는 것은 없다(Nihil set sine causa)'. 어떤 지형의 변화를 과학적으로 설명하는 것은 피상적인 것에 불과하다.

알알이 박힌 보석처럼 바다 위에 버티고 서 있는 섬들은 3,000개가 넘어 일일이 다 볼 수도 없다. 그 많은 하롱베이의 섬들을 누군가 평생 그려도 다 그려낼 수 없을 것이다. 누군가 무한에 가깝도록 사진을 찍어낸다고 해도, 그 모습을 다 담아낼 수 없을 것 같다.

하롱베이의 섬들은 인간의 상상을 넘어가는 기적의 산물이기에, 이곳 사람들도 하롱(Halong)으로 칭한 것 같은데, 한자문화권에 속한 이 나라의 언어로 '하롱(下龍)'은 '하늘에서 용이 내려왔다'는 의미이다.

수없이 많은 섬을 다 둘러보지 못한 채, 배는 어느 시점에 뒤돌아 방향을 돌렸다. 내 눈이 미치는 곳에 기기묘묘한 모습을 한 섬들이 아른거리며 손짓 하는 것 같다. 저 먼 곳에선 어떤 비경이 숨어 있을지, 호기심만 발동된다.

🗨 호찌민과 목민심서

하노이 시내를 관광하다 바딘광장에 있는 호찌민(호지명, 胡志明) 영묘와 박물관에 들렀을 때 놀라운 사실을 알게 됐다. 호찌민의 집무실 가운데 탁자 하나가 있고, 그 위에 정약용 선생의 『목민심서(牧民心書)』가 놓여있는 것이다. 호찌민은 이 『목민심서』를 250번이나 읽었다고 한다.

그의 정치사상과 정치철학의 영감이 『목민심서』라고 해도 무리가 아닐 듯하다. 통상 다섯 번이나 열 번 정도만 읽어도 많이 읽은 편이라고 할 수 있는데, 250번이나 읽었다고 하니 『목민심서』를 대하는 호찌민의 태도가 어떠했는지 대략 짐작이 간다.

정약용은 『목민심서』에서 정치가들(목민관, 수령, 관리)에 관해 기록하고 있다. 그는 목민관(수령, 오늘날엔 정치가들을 비롯해 중·고급의 공무원들도 포함된다)이 지켜야 할 지침을 밝히고 당대 관리들의 폭정을 신랄하게 비판한다.

그는 특히 부패의 극에 달한 지방의 정치상황[77]을 목민관의 본래 임무와 민생문제에 결부해 소상히 다루고 있다. 정약용은 『목민심서』의 서문에서 안타까운 사실을 언급하고 있다.

---

77 조선시대 관리들, 고을원님들의 부패상은 탈춤의 주요 주제와 내용을 장식하고 있다.

오늘날 백성을 다스리는 자들은 오직 거두어들이는 데만 급급하고 백성을 부양할 바는 알지 못한다. 이 때문에 하민(下民)들은 여위고 곤궁하고 병까지 들어 진구렁 속에 줄을 이어 그득한데도, 그들을 다스리는 자는 바야흐로 고운 옷과 맛있는 음식에 자기만 살찌고 있으니 슬프지 아니한가.[78]

그는 『목민심서』 곳곳에서 목민관의 엄격한 실천윤리를 강조한다. 수령은 백성에게 가까이 있는 근민(近民)의 직으로 다른 관직보다 그 임무가 중하므로 반드시 덕행·신망이 있는 적임자를 임명해야 한다고 했다. 또한 수령은 청렴과 절검을 생활신조로 하고 명예와 재리(財利)를 탐내지 말아야 하며 뇌물을 절대 받지 말아야 한다고도 했다.

수령의 임무는 민중 위에 군림하는 것이 아닌 민중에 대한 봉사정신을 기본으로 하여 국가의 정치적 지침을 빠짐없이 알리고 민의(民意)의 소재를 상부에 잘 전달하며, 상부의 부당한 압력을 배제해 민중을 보호해야 한다는 것이다. 민중을 사랑하는 애민정신과 애휼정치(愛恤政治)에 힘써야 하며 적극적으로 흥농(興農)의 실(實)을 거두도록 노력해야 할 것을 역설했다.

---

78 정약용, 장개충 편저, 『목민심서』, 학영사, 2011, 3쪽, 357쪽.

이 같은 정약용의 『목민심서』가 이국땅에서 이 나라의 위대한 민족지도자로 추앙받고 있는 호찌민에게 하나의 경전처럼 받아들여진 것을 보니 가슴이 뭉클해졌다.

세부,

자연의 마술

🗨 열대정원의 안식

오래전부터 필리핀 세부까지 직항 항공편이 운항하고 있어 3시간 반 안팎이면 갈 수 있다. KTX로 서울에서 부산 가는 것과 비슷한 거리다. 비행기 창밖을 멍하니 내다보거나 깜박 졸면 도착하는 곳이 세부다.

가깝다고 해서 '이국적인 것'의 격이 떨어지는 것은 아니다. 섬이 7,107개나 된다고 하니 평생 돌아다녀도 다 볼 수 없을 것 같다. 무궁무진한 열대의 신비를 간직하고 있다는 것만 해도 여행과 휴양의 향수를 불러내는 데 충분하다.

늦은 밤 도착한 숙소는 2층 구조인데, 베란다에서 내다보이는 울창한 가로수가 장관이다. 진한 녹색을 띤 야자수와 가로수가 멋

지게 어울려 리조트를 더욱 운치 있게 감싸고 있다. 발코니에 앉아 녹음 짙은 가로수와 정원을 바라보는 것만으로 휴양이 될 것 같다.

바다 쪽으로 길게 뻗어진 선착장은 자연스럽고 우아했다. 깨끗한 모래 위로 잔잔한 파도가 밀려와 밀어를 속삭이듯 소리를 내고 사라진다. 바다와 해안 그리고 리조트의 정원을 동시에 볼 수 있는 전망대엔 멋진 원두막이 세워져 있다.

시간이 날 때마다 종종 이곳으로 나왔는데, 밤의 조명등에 노출된 원두막은 축 늘어진 야자나무의 잎과 절묘한 조화를 이룬다. 열대의 더위를 식히는 선선한 바닷바람이 불어오는 한낮에 원두막 탁자에 앉아 커피를 마시며 재미있는 책을 읽으면 시간의 흐름도 세상만사도 다 잊어버리고 만다.

🔴 바디안섬, 열대낭만

하루는 바디안섬의 해변에서 종일 보내는 일정이었다. 아침 일찍 선착장에 도착했는데, 필리핀 특유의 선박인 방카가 많이 모여 있었다. 많은 배가 드나드는 항구인데도 바닷물은 아주 깨끗할 뿐만 아니라 연하늘색을 드러내고 있다. 푸른 물살을 가르며 바다 가운데로 나아가면 때론 코발트빛, 때론 에메랄드색을 드러내는 바다가 보인다. 바디안섬이 가까워지자 바닷물이 더욱 청명하게 드러난다.

어린아이들은 얕은 물가에서 물장구친다고 와자지껄 떠들어대면서 자신들과 닮은 순수한 자연 가운데 뛰논다. 초가지붕 원두막이 백사장 여기저기에 놓여 있고 그 아래엔 안락의자에 누워 휴식을 취하는 사람들과 햇볕 아래 일광욕을 즐기는 사람, 백사장 위를 다정하게 걸어가는 연인, 야자나무 아래 해먹에 잠든 젊은 여인과 주변에 활짝 핀 히비스쿠스가 바람에 흔들린다. 이 모두가 바디안의 해변을 아름답게 장식하는 전령들이다.

장엄한 태양이 서쪽으로 자리를 옮기며 바다를 거울삼아 빛을 반사한다. 바다는 태양의 놀이터고, 태양이 그림 그리는 캔버스다. 태양빛이 바다를 비추면 바다는 생생하고 적나라한 모습을 드러낼 수밖에 없고, 바닷속 생명체들도 생명의 축제를 펼친다.

플라톤(Plato)의 『국가(Politeia)』는 '태양의 비유'를 통해 태양빛이 사물을 볼 수 있는 원인이자 모든 생명체의 생성과 존재의 근원으로 보고 있다. 철학자들과 과학자들은 고대부터 빛을 탐구해왔다. 아리스토텔레스는 빛을 매질 속의 변화로 파악했고, 데카르트는 압력으로, 뉴턴은 입자로, 하위헌스는 파동으로, 아인슈타인은 광양자로, 물리학자 파인만은 질량 없는 입자라고 규명한다.

태양은 서서히 석양을 그리려고 하나보다. 하늘도 바다도 태양이 그려낸 화폭으로 변하고 만다. 때론 구름이 하늘에서 서성이지만, 태양은 이들도 태워가며 물감으로 사용할 따름이다. 화가인 태양은 일렁이는 파도도 금빛과 은빛, 선홍빛으로 만들어버린다. 나의 자아는 어디론가 사라지고 시공도 세계도 다 잊는다.

🗨 마젤란과 라푸라푸

세부 시내를 걷다 보면 스페인과 관련된 유적과 풍습이 자주 목격된다. 오랫동안 스페인의 식민통치를 받았기 때문이다. 그 시절 건축된 일종의 행정타운이 있어 차량을 타고 둘러보면 원주민의 고달픈 신음이 들리는 것 같다. 18~19세기는 세계사에서 잔혹한 시기로, 서구 열강이 다투어 온 세계를 무력으로 누비며 식민지를 개척한 시기다.

탐욕에 눈이 어두워 다른 나라를 무단 침입하고 정복하며 원주민을 무자비하게 죽이고 재물을 빼앗아간 역사인데도 오늘날 이런 죄를 저지른 것을 대수롭지 않게 생각하며 역사적인 사실로만 인정하고 있는 셈이다. '백인들은 신 앞에 설 때 많은 변명을 늘어놓아야 할 것'이라는 노벨평화상 수상자인 데스몬드 투투(Desmond Mpilo Tutu)의 말을 기억할 필요가 있다.

마젤란이 군함을 타고 필리핀으로 쳐들어왔을 때 세부의 원주민과 라푸라푸(Lapulapu) 부족장은 용감하게 맞서 싸웠고, 이 전투에서 마젤란은 목숨을 잃었다. 이 사실을 안 스페인은 대규모 군대를 파견해 필리핀을 극도로 잔인하게 초토화하고 국권을 빼앗았으며 300여 년간 식민통치했다.

스페인과 포르투갈, 영국과 네덜란드, 프랑스와 독일 등 서구 기독교열강들은 종교를 빙자해 탐욕을 숨긴 채 세상을 식민통치의 각축장으로 만든 것이다. 영화 '미션'을 보며 그 추악한 모습을 잊지 말아야 할 것이다.

라푸라푸의 동상이 세워져 있는 곳의 앞바다는 탁 트인 바다가 아니라 작은 만(灣)이고 맹그로브와 열대의 나무도 진을 치고 있어 아름답다. 때마침 만조인지 바닷물이 가득 들어와 있는데, 연하늘색이 넘실댄다. 동상에서 라푸라푸의 모습은 우람한 체격에 대단한 근육질의 맹장으로 보인다.

　그런데 이 아픈 역사를 비웃기라도 하듯 라푸라푸의 옆에 마젤란의 기념비도 함께 서 있다. 단지 역사의 두 주인공이라고? 유럽 중심의 세계사 서술은 자신들의 야만적 정복행위를 반성하지 않고 자신들이 야만을 문명화시켰다고 우겨댄다.

🗨 어머니 대지

보홀로 가는 세부항구에는 필리핀에서 흔히 볼 수 있는 삼판배와는 달리 큼직큼직한 여객선이 많았다. 섬이 많은 나라라 큼직한 페리를 통해 수도 마닐라를 비롯한 다른 큰 섬으로 이동하는 모양이다. 보홀로 향하는 배에서 태평양과 중간 중간에 나타나는 작은 섬들의 모습을 즐겁게 바라보면 어느새 보홀항에 도착한다.

도도하게 흐르는 로복강을 따라 배를 타고 밀림 속을 누비듯이 여행하는 로복강투어에 나섰는데, 로복강변은 열대 야자나무들로 정글을 이루었다. 때론 스콜이 강하게 강물을 때리고 있지만, 배는 서서히 강줄기를 거슬러 올라간다. 배에서 내려 이곳저곳에 들른 후 초콜릿힐로 이동했다.

대낮이지만, 밀림을 지나는 긴 영역은 어두컴컴하다. 아름드리 아치형으로 군락을 이루는 마호가니숲이 절경을 이룬다. 이윽고 초콜릿힐이 있는 대평원의 중앙지점으로 보이는 곳에 도착했다. 무더운 날씨지만, 150개가 넘는 계단을 허우적거리며 걸어올라 정상에 다다랐다.

사방에 30~40m 높이의 원추형 언덕이 1,776개라고 한다. 대평원 위 지평선 끝까지 장관을 이루는 초콜릿힐은 대지가 펼쳐 보이는 생생한 묘기이다. 지구가 생성되던 초기에 볼록볼록한 원추형

언덕이 초콜릿처럼 바다에서 튀어 올랐다니, 그 광경을 봤다면 기절초풍했겠다.

　'하늘이 동시에 초하늘인 것(엘리아데, Mircea Eliade)'처럼 자연 또한 초자연인 것이다. 초자연적인 모습을 과학은 드러내지 못하고, 어떤 경우엔 오히려 감추고 덮는 역할을 한다. 이를테면 초콜릿힐은 단순한 지각변동현상에 의해 빚어진 것이라고 규명하고, 생성하고 존재하는 기적은 인식하지 못하고 덮어버리기 때문이다.

  그러나 시인들은 오래 전부터 대지를 '성스러운 어머니 대지 (Terra Mater)'로 노래했다. 인간이 대지로부터 와서 그 안에서 삶을 영위하다 대지로 돌아가기 때문이다. 대지는 곧 인간의 고향이고 인간을 먹여 살리고 보살피는 어머니와도 같다.

  호메로스(Homeros, 최초의 서사시인)와 동시대인인 헤지오도스 (Hesiodos, 고대 그리스 서사시인)는 우라노스(하늘)와 가이아(대지)가 결혼해서 크로노스(시간)를 낳았다고 했다. 제우스는 크로노스의 아들이다. 호메로스는 '만물의 어머니인 대지(Geen meetera pantoon)'에 대한 찬가에서 다음과 같이 읊고 있다.

> 모든 지상의 존재자들을 먹여 살리는
> 만물의 어머니인 대지에 관하여 나는 노래하리라.
> 땅에서 일어나는 일이건, 바다와 공중에서 요동하는 것이건 다 그대의
> 충만함과 은혜를 입고 있도다.
> 좋은 자손들과 좋은 과실들은 그대로부터 왔으니,
> 죽어야 하는 인간에게 생명을 부여하거나
> 돌려받는 것은 그대의 위력이로다.
> 그러나 그대가 가슴으로 애지중지하게 기른 만물은
> 복 될진저, 곧 이들에게 질투 없는 지극한 복이 마련되나니.
> …
> 별들로 가득 찬 하늘 우라노스의 아내이고 신들의 어머니인 그대 복
> 되소서.

호메로스와 비슷하게 아이스킬로스(Aeschylos, 고대 그리스의 극작가)도 『코에포리』에서 대지를 '모든 것을 낳고, 기르고, 다시 그 자궁 속에 받아들이는 자'라고 찬미했다. 누구보다도 대지를 성스런 어머니로 노래한 이들은 인디언들이었으리라. 와나품족의 추장

인 스모할라는 땅을 경작하는 것조차 거부했다. 땅을 경작하는 것을 어머니의 살을 찢는 것, 돌을 빼내는 것을 어머니의 뼈를 꺼내는 것, 풀을 자르는 것은 어머니의 머리카락을 베는 것으로 여겼다.

장엄한 산과 망망한 대해 앞에서, 대협곡이나 폭포, 빙하나 폭발하는 화산 앞에서, 기기묘묘하게 젖가슴을 대지 위로 내민 보홀의 초콜릿힐과 정글의 대평원을 목격하며, 은하의 흐름과 대(大)성운들의 자태 앞에서, 혼령을 빼앗아 가는 오로라의 묘기에서 인간은 세속적인 감동이나 경탄을 넘어 신성하고 숭고한 경외감에 사로잡힌다.

일찍부터 철인들은 자연에 겸허한 태도를 가질 것을 종용해왔다. '자연에 따라 살아라(kata physin).'를 스토아철인들은 모토로 삼았으며, 루소는 '자연으로 돌아가라.'고 외쳤다. 노자도 '자연을 거역하지 말라.'고 권했다. 슈바이처(Albert Schweitzer)는 『문명과 윤리』에서 생명에 대한 경외감으로 가득 찬 세계관을 드러냈다.

초콜릿힐로 불리는 어머니 대지의 묘기에 넋 나가 있다가, 오랫동안 하늘 아래 대평원에서 볼록거리고 있는 초콜릿힐에 손을 흔들고 언덕을 내려왔다. 어둠이 보홀섬에 내려앉을 때 숙소에 도착했다. 묘하고 아늑한 열대의 낭만에 젖어 꿈꾸는 상태로 밤을 보낼 것 같았다.

코타키나발루,

일몰의 광채

🗨 해안산책로

코타키나발루의 별명은 '황홀한 석양의 섬'이다. 이곳 바닷가에서 보는 낙조는 그리스 산토리니, 남태평양 피지와 함께 세계 3대 노을풍경으로 꼽힌다고 한다. 코타키나발루는 적도가 가까운 곳으로 날씨가 변덕스럽지 않고 일 년 내내 청명한 하늘과 주홍빛으로 타오르는 노을을 볼 수 있는 섬이다.

열대의 향취가 물씬 풍기는 코타키나발루 공항에 도착했을 때 자정이 되어가고 있었다. 숙소까지는 버스로 제법 먼 거리였지만, 숙소 창밖으로 펼쳐진 바다와 파도소리가 피곤을 날아가게 했다.

나는 다음 날 아침 일찍부터 바닷물이 부지런히 해변으로 밀려오는 해안으로 갔다. 6km나 이어지는 백색 모래사장은 탄성을 불러일으켰다. 해안 산책로와 울창한 열대우림으로 이루어진 우아한 정원을 한참 돌아다녔다. 만발한 이름 모를 꽃들은 늘 다정한 인사를 건넨다.

해 질 녘 석양은 해안산책로에서 대단하다. 태양이 하늘을 캔버스 삼고 구름을 재료 삼아 타는 주홍빛으로 영상을 빚어내면 벌린 입을 닫을 수 없다. 늦은 저녁과 밤에도 해변을 거닐며 바다 위에 내려앉은 달빛에 말을 걸어 보았다. 낭만의 취기에 이끌리어 걸음이 자꾸만 산책로를 오갔다.

철학은 학자의 연구실이나 도서관에서만 탄생하는 것이 아니다. 심오한 철학은 산책로와 여행 중에도 탄생한다. 소크라테스는 광장이나 시장통을 오가며 철학을 했고, 플라톤의 아카데메이아나 아리스토텔레스의 학당인 뤼케이온(Lykeion) 또한 마찬가지다. 스승과 학도들은 학당의 뜰을 거닐며 논의하고 대화를 나누며 철학을 했다.

특히 아리스토텔레스의 철학파를 소요학파(逍遙學派, 페리파토스학파)라고 하는데, 이는 아리스토텔레스가 학도들과 산책하면서(peripatein: 페리파테인) 강의하고 논의한 페리파토스(περίπατος: 산책길)에서 유래되었다.

소요(逍遙)는 그 어원이 거닐(노닐) 소(逍)와 거닐다, 오가다, 서성거리다, 노닐다의 뜻을 가진 요(遙)와의 결합으로, 소요학파는 페리파토스학파의 의미에 딱 들어맞는다.

나무가 울창한 산책로를 오가며 아리스토텔레스는 웅장한 학문 체계를 세웠는데, 이론학(형이상학 · 수학 · 자연학), 실천학(윤리학 · 경제학 · 정치학), 제작술과 논리학에 이르기까지 광범위하다.

플라톤의 제자이자 알렉산드로스 대왕의 스승, 거의 모든 학문 영역에 능했던 아리스토텔레스는 광활한 학문세계의 기초를 닦은 철학자라고 할 수 있다.

그의 학문은 수학, 물리학, 천문학, 생물학, 생리학, 해부학, 식물학, 박물학, 심리학, 정치학, 논리학, 시학, 수사학, 미학, 신학, 형이상학 등을 아울러서, 종합대학이라고 해도 손색 없을 정도다.

수많은 동양의 현자와 성자도 산과 들이며 자연 가운데 지혜를 터득했다. 장자의 철학은 소요철학에서 발단한다고 해도 지나

침이 없다. 소요란 우리가 위에서 밝힌 대로 마음 가는 대로 유유히 거닐고 노니는 양식, 아무것에도 구속받지 않고 자유롭게 거닐며 철학적 사유를 펼치는 것이다.

산책로와 여행에서 영감을 얻는 것은 철인들뿐만 아니다. 노벨문학상 작품인 『노인과 바다』는 헤밍웨이가 쿠바로 종종 낚시여행을 하며 경험한 것과 영감에서 일궈졌다.

베토벤을 사랑하는 이라면 그가 달밤에 산책하는 그림을 잘 알 것이다. 이런 산책으로 얻은 영감에서 '월광소나타'가, 하일리겐슈타트(Heiligenstadt)라는 전원을 산책한 후 '전원교향곡'이 탄생했다.

여행과 산책이 제공하는 창조적인 사유는 과학자나 수학자에게도 일어난다. 여행과 산책에서 느끼는 특별하고 아름다운 환경

은 어떤 문제에 얽매인 의식에서 벗어나게 하고, 좀 더 초연하게 사물과 상황을 새로운 관점에서 바라보게 해주기 때문이다.

🗨 해변에서 맞는 일몰

툰구 압둘라만 해양국립공원에서 호핑투어를 하기로 한 아침에는 일찍 숙소를 나섰다. 선착장은 이미 사람들로 북적이고 선원들은 여행자들을 섬으로 안내하기 위해 분주하게 오갔다. 쾌속정 보트로 약 30분 정도 달리니 코타키나발루의 섬이 나타났다.

나는 곧 어린아이처럼 깔깔거리며 바다에 뛰어들었다. 깨끗한 바다에서 물고기가 될 정도로 수영하고, 스노클링으로 바닷속을 헤집고 다니다가 쉬고 싶으면 야자수 그늘 아래에 놓인 안락의자에서 책을 읽었다. 책을 보다 살랑살랑 불어오는 바람에 단잠을 잤다.

잠에서 깨 다시 물속으로 뛰어들었다. 지쳐서 몸살이 날 정도로 수영하고 싶었다. 1년 정도 바닷물에 뛰어들고 싶은 욕구가 일어나지 않을 정도로 수영하고 싶은데, 이런 전략이 좋은 건지 안 좋은 건지 모르겠다. 아이의 생각 같아 피식 웃음이 나왔다.

태양은 서서히 서쪽으로 이동했고 바닷물의 색깔도 조금씩 누런빛으로 변했다. 아주 단단히 바다 위로 떨어지는 낙조를 목격할 모양이다. 태양은 하늘에 마법을 걸기 시작하고 하늘도 바다도 섬도 이 마법에 걸려 황홀한 주홍색 영상을 펼치기 시작했다. 과연 '황홀한 석양의 섬'은 별천지로 변해 갔다.

클리아스강, 존재와 흐름의 노래

클리아스강에서 반딧불의 향연이 펼쳐진다기에 기다렸다가 늦은 오후에 배를 탔다. 강물의 색깔은 오히려 검붉은 색에 가까웠는데, 사공은 그것이 맹그로브 뿌리에서 나온 색이기에 깨끗한 물이라고 한다. 검붉은 색의 강물은 빠르게도 흘러가는데, 강변 너머엔 밀림이 빽빽하게 들어서 있다.

높은 키나발루산에서 흘러내리는 클리아스강은 신비롭다. 하늘에 가까운 키나발루의 정상에 떨어진 빗방울들은 어떤 하늘의 신비를 갖고 이 강으로 흘러 내려올까. 성스러운 산에서 흘러내리는 물은 성스러운 강물이 된다. 히말라야에서 흘러내리는 인더스의 강물이 바로 그런 것 아닌가.

어둠이 내리자 반딧불들은 반짝반짝 광채를 드러내기 시작한다. 반딧불들은 크리스마스트리에 붙은 전구들처럼 다닥다닥 붙어 있다. 저 무시무시한 어둠의 정글을 멀리하고 강가에 반딧불들이 또 다른 세상을 만들어가고 있다.

고개를 들어 하늘을 보니 별빛이 초롱초롱하게 빛나며 하늘의 정원을 장식하고 있다. 반딧불과 경쟁이라도 하듯 별들이 빛나고 있다. 야심한 밤, 이국의 강변에서 바라보는 별과 반딧불의 말 없는 춤사위는 신비로움을 더했다. 어둠 가운데 묵직하게 흘러가는 클리아스강은 존재와 흐름의 노래에 귀 기울일 것을 요구했다.

모든 강은 성스럽고, 인간의 젖줄이다. 높은 산들이 하늘로부터 받은 비를 바다로 보내듯 강은 하늘의 비밀을 대양에 전한다. 대지의 지붕 히말라야에서 발원한 물은 인도로 흘러 인더스가 되고 동남아로 흘러 메콩강이 되며, 중국으로 흘러 황하와 양쯔강이 된다.

영산 백두산에서 발원해 동으론 두만강, 남서로는 압록강, 북으로는 송화강을 형성한다. 모든 강은 다 높은 산에서 발원되고 대

양에 귀착하며, 이 둘을 중매하고 둘 사이에 흐르며 존재한다.

존재와 흐름은 상반된 것으로 보이지만, 근원적으로 이들은 상대를 자신 속에 포함하고 있다. 즉 모든 존재는 존재하는 한 최소한 생동(자기운동)을 전제로 하며, 흐르는 모든 것은 존재하기 때문에 실재적으로 흐르는 것이다. 모든 존재하는 것은 살아 움직이고 또 움직이는 모든 것은 존재한다.

코사무이,
작은 파라다이스

💬 무르익는 남국정서

코사무이는 태국의 남쪽, 남태평양 가운데 떠 있는 외딴섬이다. 이 섬은 태국에서도 손꼽히는 휴양지이지만, 소문난 파타야나 방콕처럼 시끌벅적하지 않고 순박한 자연이 살아 있는 깨끗하고 조용한 곳이다.

나만의 조용한 성찰과 힐링타임이 필요할 때, 자연과 대면하고 싶거나 고요하고 평화로운 분위기를 느끼고 싶을 때, 혹은 사랑하는 연인과 조용히 숨어들고 싶을 때도 이 섬은 알맞다.

코사무이는 방콕에서 1시간쯤 비행하면 도착하는 우리나라 거제도 크기의 섬이다. 코(Koh)가 태국어로 '섬'이란 뜻이기에, 사무이섬인 셈이다. 밤에 만난 코사무이공항의 대합실은 시골의 기차역 같았는데, 이렇게 작고 귀여운 공항은 처음 본다. 열대의 식물들과 정원수들이 나지막한 건물에 어울려 더욱 아담하고 귀여웠다.

🗨 정원에서 마주한 자연

짐을 푼 곳은 바닷가의 작은 리조트였다. 열대식물로 우거진 정원과 주변의 야자수 숲은 자연에의 갈증을 잠재워주기에 충분했다. 아름다운 정원은 바다와 맞닿아 있다. 그러나 내게 경탄을 불러일으킨 건 바닷가 가로등 아래 다소곳이 있는 탁자이다. 가로등 뒤로 황톳빛 모래에 맑은 바닷물이 넘실댔다.

다음날 저녁에도 많은 사람이 정원 의자에 앉아 이야기꽃을 피우며 열대의 낭만을 느끼고 있었다. 아련한 가로등 아래 속삭이듯 밀려오는 파도소리는 밤의 정취를 더욱 아늑하게 만들었다. 플루메리아의 꽃향기에 밤이 깊어가고 주렁주렁 달린 가로등 구슬에서 피어오르는 포근한 불꽃은 밤의 고요를 지켜줬다.

고개를 들어 바다를 응시하자니 고요와 어둠 가운데 큰 달이 솟아 있다. 달이 바다의 수면 바로 위에 나타났다. 깊은 밤, 달콤한 고요까지 합세했을 때, 자리에서 일어나 정원을 가로질러 침실로 걸음을 옮겨보았다.

밀려오는 파도소리는 바다를 사랑해서 자신의 유골마저 고향처럼 여긴 바다로 돌려보내게 했던 레이첼 카슨(Rachel Carson, 1907~1964, 미국의 해양생물학자이자 작가)의 목소리처럼 들렸다. 과학과 시적 통찰을 바탕으로 환경의 중요성을 일깨우고 자연과 인간은 한 식구라는 것을 통찰하게 해준 카슨은 타임(TIME)지가 뽑은 20세기를 변화시킨 100인 가운데 한 사람이다.

카슨은 유난히 바다를 사랑했다. 『바닷바람을 맞으며(Under the Sea-Wind)』, 『우리를 둘러싼 바다(The Sea Around Us)』, 『바다의 가장자리(The Edge of the Sea)』와 같은 저술들은 그녀의 바다에 대한 사랑과 열정을 보여준다. 그녀는 메인주의 바위해안에 자주 다녔고 밤의 바닷가와 고요함 그리고 신비를 무척이나 사랑했다.

바닷가와 밤의 고요야말로 카슨이 삶의 가장 깊은 신비를 명상하는 장소이자 시간이었다고 한다.[79] 카슨은 우리에게 모든 감각을 동원해 자연과 사귀라고 권한다. 자연에 대한 지식을 쌓는 것은 어디까지나 그다음 일이며, 자연에 관한 풍부한 정서야말로 지식의 기초가 된다고 한다.[80]

---

79 린다 리어의 "초대의 글": 레이첼 카슨, 표정훈 옮김, 『자연, 그 경이로움에 대하여』, 에코 리브르, 2002, 8쪽 참조. 80 린다 리어, 위의 곳.

자연과 사귀고 자연과 하나 되고 경이로운 시선으로 자연에 접근하는 태도는 『자연, 그 경이로움에 대하여(The Sense of Wonder)』의 첫째 절 〈밤바다〉에서 잘 드러난다. 카슨은 조카의 아들, 로저 크리스티를 생후 20개월에 담요로 감싼 채 비 내리는 어둠 속의 바닷가에 데려갔다고 한다.

> 저 멀리, 우리의 눈길이 미처 닿지 않는 바다 저 끝에서, 거대한 물결이 우르릉대며 춤추고 있었다. 어둠 속에서 그것은 어슴푸레하게 하얀빛을 띠고 있었다. 세상을 뒤흔들 듯 커다란 소리를 내며, 물결은 이내 우리 곁으로 밀려와 무수한 포말로 스러졌다. 로저와 나는 즐거움에 겨워 크게 웃었다. 로저는 태어나 처음으로 바다의 신이 부르는 노래를 들었던 것이다.[81]

'크게 웃었다'는 표현은 자연에 공감하고 자연과 사귀며 자연의 일원이 된 것을 나타낸다. '세상을 뒤흔들 듯 우르릉대는 바다 그리고 모든 것을 감싸 안고 있는 넉넉한 어둠'[82]은 영감으로 가득 찬 자연을 보는 카슨의 자연철학이다.

---

81 레이첼 카슨, 표정훈 옮김, 『자연, 그 경이로움에 대하여』, 에코 리브르, 2002, 15~16쪽.
82 레이첼 카슨, 위의 책, 16쪽.

다음은 자연에 더 가까이 다가가 자연과 사귀고 그 일원(혹은 한 가족)이 되는 모습을 더욱 면밀하게 보인다. 카슨은 위와 같이 어린 로저와 어두컴컴한 밤의 바닷가에 손전등을 들고 나갔다.

> 비는 내리지 않았지만 밤은 여전히 살아 있었다. 물결이 부서지는 소리, 끊임없이 불어대는 바람소리. 실로 지극히 작고 소박한 것에서부터 크고 위대한 것에 이르는, 그 모든 것들이 살아있는 시간이자 장소였다. 로저와 나의 이 각별한 밤은 생명을 잉태하고 있는 밤이기도 했다. 우리는 유령게를 찾았다. 모래와 비슷한 색을 띠고, 부지런히 움직이는 그 녀석들을 로저와 나는 낮에도 가끔 볼 수 있었다.
>
> …
>
> 이 작고 빠른 녀석들을 볼 때마다, 나는 바다의 무자비한 힘에 맞서는 어떤 고귀한 고독 같은 것을 느낀다. 녀석들 덕분에 나는 잠시나마 삶과 우주의 무한한 신비를 명상하는 철학자가 되곤 한다.[83]

인간의 비극은 자연의 존재의미를 통찰하지 못하는 것, 그 신비로운 기적의 의미를 읽어내지 못하는 데 있다. 간난아이인 로저도 자연과 한 식구가 되는 것을 보여주었는데, 어른들은 혼탁하고

---

83 레이첼 카슨, 위의 책, 16~18쪽.

비-본래적인 세계에 빠져 그런 시각을 잃어버린다. 생텍쥐페리의 『어린왕자』에 나오는 어른들과도 같은 모습이다.

> 어른들의 가장 큰 불행은 아름다운 것, 놀라움을 불러일으키는 것을 추구하는 순수한 본능이 흐려졌다는 데 있다.[84]

카슨은 혁명가처럼 자연의 경고에 귀 기울일 것을 강력하게 호소하고 생태계 파괴의 위험성을 그의 저서를 통해 밝혔다. 그러나 과학기술문명을 가속화시켜왔던 소위 선진국들, 과학기술문명 숭배와 이를 통해 부를 쌓는 것을 지상 최고의 과제로 여기던 미국 사회의 거대한 흐름을 막을 길 없었다.

이런 흐름은 근대의 주체중심주의와 이성을 '도구적 이성'으로 잘못 인식한 근대사유의 유산이다. 근대사유는 자연에게서 생명과 영혼을 빼앗고, 자연을 인간의 부와 편리를 위해 존재하는 대상으로 여겼다. 이를테면 '아는 것이 힘이다.'를 도구로 삼아 '자연을 정복하라.'거나 '자연을 통제하라.'와 같은 슬로건이 있다.

이러한 구호에는 자연과의 공존을 망각한, 인간의 오만과 탐욕만이 도사리고 있다. 결국 인류가 가꾸고 숭배해온 과학기술문명

---

84 레이첼 카슨, 위의 책, 51쪽.

이 축복이 아니라 '죽음의 문명'인지도 모른다. 자연정복의 대가가 인간 자신의 파괴와 결부되어 있다는 것을 망각한 탓이고, 자연의 일부라는 것을 인정하지 않는 오만의 결과이다.

『침묵의 봄(Silent spring)』이 던진 파문은 '지구의 벗들'이나 '그린피스' 등의 단체에 영향을 미쳤다. 카슨은 DDT 같은 살충제는 생태계 교란뿐만 아니라, 먹이사슬를 통해 인간의 모유에서도 검출되는 것을 상세하게 밝혔다. 인류를 위협하던 DDT는 『침묵의 봄』이 발간된 지 10년 후 미국에선 생산과 사용이 금지되었다. 이 책은 자연의 모든 것이 서로 연관되어 있음을 알렸고, 이는 강력한 환경운동의 토대가 되었다.

『자연, 그 경이로움에 대하여』가 '레이첼 카슨의 마지막 노래(부제)'라고 하니, 우리시대의 영웅을 잃은 안타까움이 밤의 침묵과 파도소리를 꿰뚫고 마음을 아리게 한다.

팔라우,
몽환적인 섬

🫧 바다의 정원

　겨울의 막바지라고 할 수 있는 2월의 어느 날 남태평양의 섬나라 팔라우로 향했다. 얼어있는 이 땅에서 태양이 이글거리는 남태평양의 푸른 바다를 떠올리면 설레는 마음을 달랠 길 없다. 공항 활주로에는 하얀 눈이 날리기 시작한다.

　눈은 이내 공항 활주로도 다 지워버리고 하얀 양탄자를 깔기 시작했다. 제설차가 여섯 일곱 대씩이나 줄을 이어 나타나 바삐 오갔다. 비행기는 네 시간이 더 지나서야 밤의 정적을 찢고 활주로를 벗어나기 시작했다. 태평양을 지나는 데 어디가 어딘지 분간하기 어려웠으나 창밖에 별이 우뚝 우뚝 떠있는 것을 볼 수 있었다.

팔라우의 하늘에 비행기가 도착했을 땐 아침 햇살이 바다 위로 퍼지고 있었다. 창밖으로 보이는 팔라우의 섬들은 참으로 특이하다. 하늘의 조그마한 별똥별들이 바다 위에 씨앗 뿌리듯이 뿌려진 것 같고 누에와 같은 벌레들이 오밀조밀하게 서로 붙어있는 모습 같기도 했다. 남태평양의 망망대해 위에 섬들이 정겹게 다가온다. 숙소에 도착했을 때 비행의 피로는 어디론지 사라져버렸다.

🔵 밤바다 항해

남태평양 밤바다에서 낚시한다는 것은 묘한 설렘을 일게 한다. 시꺼먼 망망대해를 쾌속정의 보트가 쏜살같이 달리고 하늘에 별은 수없이 박혀 쏟아질 것만 같다. 빈틈없이 **빽빽**하게 들어서 밤하늘의 정원을 가꾸는 별들은 자연의 경이로움을 느끼게 한다.

밤바다 위에 떠 있는, 우주 속 미세먼지에도 못 미칠 작은 배 위에서 인간은 배에 의존한 채 시꺼먼 바다와 하늘의 별들을 번갈아 바라볼 뿐이다. 지구 전체가 '코스모스의 바닷가'[85]에 불과하다면, 인간이 생명을 의존하고 있는 이 작은 배는 어떤 크기로 비교될 수 있을까.

남태평양 밤바다 위에 솟아 있는 저 하늘이 칼 세이건의 『코스모스』 표지 사진과 퍽 닮아 있다. 무한한 코스모스의 시공에는 인간을 거의 무화시키는 파스칼의 무시무시한 우주의 모습과 우주 가운데 초라한 인간의 모습도 드러난다.

밤하늘과 별들을 보며 한참 달리면, 낚시 포인트에 도착한다. 배에 앉아 바다에 드리우는 낚싯줄은 엄청 깊은 곳까지 도달한다. 아주 큰 물고기를 낚으니 낚싯줄도 두껍고 낚싯바늘도 엄청 굵다.

---

85 칼 세이건의 『코스모스』에서 제1장의 제목: 「코스모스의 바닷가에서」 참조.

30~80cm나 되는 대어(大魚)가 잡히면 사람들은 신이 나서 어쩔 줄을 모르고 환호와 비명을 질러댄다.

　풍성하게 물고기를 잡아 올리자 원주민 가이드들이 만찬을 준비한다. 원주민 가이드는 선상에서 회를 기막히게 떠내고, 야채와 소주며 맥주를 풍성하게 해 만찬파티를 마련했다.

남태평양 심해에서 올라온 생선의 횟감, 밤하늘의 정겨움, 총총한 별들의 축복, 다정하게 팀워크를 이룬 일행들로 너나 할 것 없이 즐겁다. 이때껏 삶의 질곡에서 쌓아온 번민들을 밤바다에 내려놓고 침묵 속에서 환호하며 항구로 방향을 돌렸다.

그러나 내 시선은 총총 뿌려진 별들의 마법에서 벗어나지 못했다. 나는 잠들지 못하고 창문 너머 별들이 펼치는 묘기에 빠져들었다. 칼 세이건의 코스모스와 파스칼의 코스모스며 살아있는 유기체로 받아들여진 플라톤의 코스모스가 뒤엉킨 채 어둠과 정적 속에 가라앉아 있는 것만 같았다.

🗨 어느 몽환 안에서

락아일랜드투어는 팔라우 여행의 절정이다. 쾌속보트로 오가면서 만나는 수많은 섬, 에메랄드 물빛으로 감탄을 멈추지 못하게 하는 밀키웨이, 스노클링으로 만나는 황홀한 산호의 세계, 태고부터의 시간과 신비를 간직한 산호 머드팩, 갈라진 바닷길 위에서 산책하는 롱비치 때문이다.

팔라우에서는 바다 위로 오가는 일이 많다. 바다 밑을 내려다보면 형형색색의 산호들과 열대어들이 이룬 또 기막힌 세상을 보게 된다. 찬란한 산호를 헤집고 다니는 열대어들의 줄행랑은 기묘한 영상을 만들어낸다. 어떤 바다에는 놀랍게도 대왕조개들이 군락을 이루며 서식하고 있는데, 스노클링으로 훤히 볼 수 있다.

섬으로 가득한 이 섬나라를 쾌속보트로 지나가면 오밀조밀한 섬의 아름다움에 한껏 취할 수 있다. 이들 중 많은 섬이 밑동이 침식되어 가분수의 바위섬 형태로, 원시림의 정글을 머리에 이고 있다. 밑동이 잘린 섬들은 인간의 접근을 엄하게 금지하는 듯하다.

많은 섬 중 어떤 무인도에 도착했다. 모래와 고운 색을 지닌 바다로 둘러싸여 있다. 수풀이 우거져 있고 이름 모를 과일나무에는 과일이 주렁주렁 열려 있다. 평지를 조금 지나면 깎아지른 바위섬과 연결되는데, 수풀이 무성해 발 디딜 틈도 없다.

태고의 분위기를 풍기는 무인도 해변에서 파도에 씻겨 드러난 고목의 뿌리 위에 걸터앉아 바다를 바라보았다. 눈이 시리도록 맑은 바닷물 위에 연초록 물감이 칠해져 있다. 심호흡하면 원시림이 만든 산소와 바닷물에서 올라온 향기가 폐부로 스며드는 것 같다.

작은 산호 알갱이가 모여 바다 바닥에 산호가루를 차곡차곡 쌓아 밀키웨이가 만들어졌다. 산호가루로 신비한 우윳빛 바다가 펼쳐지는데, 파도도 없이 잔잔하다. 조류의 운동이 없어 밖으로 나가지 않고 쌓이기만 한 산호가루는 긴 시간을 끌어안고 있다.

팔라완에서 떠올린
하데스

🔴 원초적 비경으로

　여름날, 태풍이 먼 남태평양에서 일어날 거라는 소식을 듣고 서둘러 배낭을 꾸렸다. 태풍이 오기 전 그리고 방학이 가버리기 전에 팔라완으로의 여행을 감행하는 것이다.

　일상에 지친 여행자에게 평안을, 휴양에 굶주린 자에게 안식을, 고독한 방랑자에게 위로를, 자연을 사랑하는 이에게 정겨움을, 정열적 모험가에겐 매혹을 안기는 섬이 팔라완이다.

　팔라완은 필리핀의 최서단 지역에 자리한다. 이 섬은 총 1,780개의 섬으로 이루어졌고, 필리핀의 다른 지역과 떨어져 있어 희귀한 동식물이나 해양생물 등 순수한 자연이 이어져 왔다. 그래서 팔라완은 신성하게 보호되어야 할 장소가 되었다.

승합차를 타고 해변 선착장으로 향했다. 조그마한 어촌마을 선착장은 초라하다. 조용한 혼다베이를 끼고 마을이 옹기종기 붙어 있다. 필리핀 특유의 선박인 방카를 타고 선착장을 떠나 이름 모를 섬들 곁을 지나는데, 거친 물결이 일정한 방향으로 이동하는 것이 보이고 때론 거친 바람도 분다. 이윽고 방카는 무인도인 판단섬(Pandan Island)에 도착했다.

우람한 열대의 식물이 도처에서 있고, 에메랄드빛 바다에는 형형색색의 산호군락이 진을 치고 수없이 많은 열대어가 떼를 지어 오가고 있다.

바쁘고 혼란스러운 일상에서 벗어나 낯선 무인도에서 자연과 인생과 세계를 다른 측면에서 사색하며 새로운 에너지를 채우는 것은 고마운 일이다.

태양이 서서히 서쪽으로 옮겨가 일몰을 연출하기 전 귀로에 올랐다. 파도는 정겨운 무인도와 작별하게 하고 일행을 뭍으로 떠나보낸다. 넓은 바다와 끝없는 하늘을 태양이 억센 광선을 뿌리며 장악하고 있다.

지하강과 하데스의 세계

유네스코가 지정한 세계자연유산 중 한 곳인 지하강은 큰 산맥 지하에서 흐르며 그 아름다움으로 세계적인 명성을 얻었다. 세인트폴산 지하에서 흐르는 강이기에 '세인트폴 지하동굴국립공원'으로 불리기도 한다. 지하강의 길이는 8.2km에 이르도록 뻗어 있다.

지하강은 지옥을 연상케 하는 요소를 몇 가지 지니고 있다. 주변의 어두컴컴한 열대우림은 왠지 모르게 숨을 고르고 팽팽한 긴박감을 불러일으킨다. 지하강 입구에는 아주 고약한 냄새가 진동하는데, 그것은 동굴 안에서 수십 수백만의 박쥐들이 태곳적부터 싼 똥냄새이다. 지하강 속에 큰 물뱀이 산다고 하니 물에 빠지면 보통 큰일이 아니다.

하데스의 세계에 흐르는 '망각의 강(ho tes Lethes potamos)'과 도과도 흡사한 데가 있지 않을까. 플라톤의 『국가』, 제10권에 나오는 '망각의 강'에서 헤엄치는 영혼이 이 강물을 마시게 되면 이승의 모든 것을 잊어버리게 된다는데, 지하강에서도 그와 유사한 일이 일어날 수 있지 않을까 하고 생각했다.

패들보트를 함께 탄 일행 사이에 침묵과 긴장이 팽팽하다. 지하 동굴 속으로 서서히 미끄러져 빨려 들어가니 온통 칠흑 같은 어둠이다. 어둠을 누비는 박쥐들의 기괴한 소리가 진동하고 별안간 천장에서 물이 쏟아지기도 했다.

차츰 눈이 어둠에 익숙해질 때, 동굴 안이 석회암이 만들어낸 예술작품으로 가득 찬 것을 보았다. 갖가지의 자연 조각작품과 촛농 같은 형상들, 두꺼비상, 마리아상과 거대한 성자상 등 별의별 석순과 종유석은 황홀한 찬탄을 불러일으켰다.

그런가 하면 지하강에도 지류가 있어 어두컴컴한 미지의 지역으로 강물이 흘러 들어가고 있음이 눈에 들어왔다. 하데스에서의 지하강에도 다른 미지의 지역으로 거세게 흘러 들어가는 지류가 나온다.

지하강투어를 마치고 다시 입구로 다가왔을 땐 손에 땀이 가득 쥐어졌다. 저쪽 멀리 입구가 밝은 바깥과 선명한 대조를 이루고 있다. 대양으로 흘러가는 지하강의 하류와 멀리 잇대어 있는 바다가 태양빛에 반사되고 있다.

196

지하강을 탐험할 때부터 내 뇌리를 지배하고 있던 것은 그리스인들의 신화에 나오고 또 철인 플라톤이 『국가』와 『파이돈(Phaidon)』에서 서술한 하데스이다. 칠흑의 어둠 속에 흐르는 강, 박쥐들의 배설물 구린내가 진동하고 강물 아래에 큼직한 물뱀과 동굴 주변의 정글에 서식하는 왕도마뱀, 킹코브라 등은 하데스를 연결하고 있다.

하데스는 의로운 삶을 산 사람에겐 파라다이스이지만, 의롭지 못한 삶을 산 영혼들에겐 지하강을 떠돌며 온갖 벌을 받는 곳이기도 하다. 하데스는 부도덕과 불의를 저지른 영혼들이 지하의 강을 유랑하며 죄를 조금씩 탕감해가는 고통스럽고 무시무시한 곳이다.

왜 하데스가 있는가를 이해해야만 플라톤의 영혼에 관한 철학과 우주적 정의를 이해할 수 있으며, 선하게 살 것을 주문하는 그의 철학을 이해하게 된다. 저지른 일에 걸맞은 형벌이 없는 것은 있을 수 없다는 것이 플라톤과 칸트와 같은 대철학자들의 견해다.

물론 하데스에서의 소름 끼치는 영혼의 유랑에 관한 플라톤의 진술은 어떤 검증 가능한 논리적 명제는 아니다. 논리학적으론 하데스의 세계가 존재한다고도, 존재하지 않는다고도 할 수 없다. 이런 식의 극단적 주장은 '무지에의 호소(Argumentum ad Ignorantiam)'에 불과하다. 그것은 논리학의 차원을 벗어나는 것이다.

플라톤은 하데스에 다녀온 것처럼 현장을 생생하게, 시적이고 신화적인 양식으로 보도하고 있다. 그는 의로운 삶을 살 것을 주문하고 있다. 디오게네스 라에르티우스(Diogenes Laertius)가 플라톤을 '영혼의 의사'라고 쓴 묘비명이 맞을 것이다.

플라톤은 소크라테스를 통해 인간의 궁극적인 문제가 영혼이라는 것을 증언하고, 영혼을 소중히 여길 것을, 정신을 더욱 훌륭하게 하고 신체나 돈보다는 지혜를 더 사랑할 것을, 사려 깊은 생활을 할 것을 주저 없이 주문했다.

소크라테스는 자신의 사형집행 시간이 다가올 때까지 다정하고 진지하게 영혼불멸에 관해 대화를 나눴던 사람들에게 진심으로

영혼을 소홀히 하지 말고 잘 보살필 것을 주문했다.

오오 나의 벗들이여, 만일 영혼이 정말 불사라고 한다면, 우리는 이
세상의 짧은 시간을 위해서만 아니라, 영원한 세월을 위해서도 영혼
을 보살펴야 할 것일세. 이런 관점에서 볼 때, 영혼을 소홀히 한다는
것은 아주 위험한 일이라 하지 않을 수 없네. 만일 죽음으로 모든 것
이 끝난다고 하면 악인은 죽음에 의하여 이득을 본다고 할 수 있을
거야. 왜냐하면 죽는 날 그는 그 육체와 함께 또한 그의 영혼 및 그의

모든 죄과를 온통 내버리고 떠나겠으니까. 그러나 우리가 본 바와 같이 영혼이 불사하는 것이고 보면, 죄과에서 벗어나서 구원을 얻는 길은 가장 선하고 가장 지혜롭게 되는 것밖에 없네.[86]

지하강을 뒤로 하고 손에 땀을 쥐며 입구이자 출구인 곳으로 나왔다. 지하 동굴에서 보았던 시꺼먼 색의 거대한 물줄기는 다른 색깔로 변신하여 남지나해로 세차게 흘러들어간다. 남지나해는 무시무시한 바다다.

오래전 독일 슈피겔(Spiegel)지의 기사를 읽은 게 기억난다. 세계 제일의 서핑선수가 남지나해에서 서핑을 즐기다가 갑자기 사라졌고 상어에게 물려가 생애를 비참하게 끝냈다고 한다.

하필 상어 떼가 출몰하는 남지나해에서 목숨을 걸고 서핑을 했을까. 자연은 아름답고 신비롭고 무섭기도 하며 초자연적이기도 하기에, 인간은 자연을 두려워하는 태도를 가져야 한다.

지하강 입구 주변은 완전히 딴 세상을 펼쳐보인다. 문명의 흔적이라고는 찾아볼 수 없는 원시의 비경이 펼쳐진다. 그토록 원시와 순수를 찾아 헤매던 나의 여행 갈증이 팔라완의 지하강가에서 풀리는 것 같다.

---

86 플라톤, 최명관 옮김, 『플라톤의 대화』, 종로서적, 1984, 201쪽(*Phaidon*, 107c).

배낭 속에 담아온
여행의 기쁨

인간은 근원적으로 나그네이고 인생살이 자체가 여행이라는 것은 터득되었을까. 인간은 '순례하는 존재'라는 G. 마르셀의 규명은 설득력 있게 와 닿는다. 기원전 6세기에 고대 그리스의 철인 파르메니데스가 철학을 통속이 지배하는 '어둠의 집'에서 존재의 진리가 이글거리는 '빛의 왕국'으로 규명한 것은 감동을 준다. 그렇다. 철학적 사유는 골방이나 연구실에 틀어박혀 작업하거나 '강단철학'에 매몰될 필요 없는 것이다.

장자가 『장자』의 〈소요유〉편에서 철학이 자유로운 소요에서 발단한다고 한 것은 진실일 것이다. 그는 마음이 가는 대로 유유히 노닐며 철학했다. 또한, 아리스토텔레스와 그의 제자들을 페리파토스학파라고 하는데, 이를 우리말로 옮기면 소요학파인데, 그들은 뤼케이온의 정원을 거닐며 철학적 사유에 탐닉했다.

나 역시 여행지를 오가고 노닐며 이런저런 사유를 전개하고 자연이 베푸는 신선한 정서를 담아오지 않았을까. 자연이 자신을 드러내며 다채로이 펼쳐 보이는 모습을 목격했다면, 그러한 자연의 묘기가 위안이 되고 인생과 긴밀하게 결부된다면, 배낭 속에 잔잔한 여행철학과 사유의 기쁨을 채울 수 있다. 여행은 여행하는 이가 그의 몸으로 쓴 자신의 인생역사 한 페이지이기에, 하나의 영상이 되어 뇌리를 차지하게 될 것이다.

독일민요 중에 '이 몸이 새라면(Wenn ich ein Vöglein wäre)'이라는 노래가 있다: "이 몸이 새라면 이 몸이 새라면/ 날아가리 저 건너 보이는/ 저 건너 보이는 작은 섬까지." 그런데 우리는 새가 아니어도, 새처럼 저 작은 섬을 비롯해 어디로든 갈 수 있다. 장자의 〈소요유〉편에 나오는 붕새처럼 날개 짓 몇 번으로 구만리를 날아가지는 못하지만, 작은 배낭 꾸려서 어디론가 갈 수 있으니 얼마나 다행스런 일인가.

새처럼 날아 배낭 속에 담아온 것이 무엇이냐고 묻는다면 고마울 따름이다. 예민한 촉감으로 이 책을 읽은 독자들은 필자가 〈들어가는 말〉에서 했던 약속, 즉 '여행이 선사하는 놀라운 변화'에 대해 물을 것이기 때문이다. 실로 여행에서 담아온 보물이 셀 수

없이 많다. 우선 삶에 새로운 에너지를 획득했다. 무미건조하고 답답한 일상의 쳇바퀴를 벗어나 엔도르핀(endorphin)이 펑펑 솟는 그런 변화된 삶을 경험할 수 있어 큰 다행이었다.

마음먹고 떠난 푸껫여행 이전에 나는 허우적거리며 똑같은 일상을 반복하는 삶을 살았다. 시간강사 한답시고 이 학교 저 학교를 뛰어다니고 방학을 몽땅 논문 쓰는데 투입했지만, 공허한 메아리만 요란하게 울리곤 했다. 눈에 이문증이 생길 정도로 연구실에 처박혀 논문을 썼지만, 불면의 밤을 수없이 보내어도 좋은 메아리는 세상으로부터 들려오지 않았다. 허우적거리며 내 몸만 망가져갔다.

뭔가 변화가 요구됐다. 일단은 머리를 식히고 인생의 새로운 버전을 마련하는 것이 필요했다. 쓸데없는 미련을 자꾸만 만지작거리면 질병이 된다. 찌든 일상의 카테고리에서 벗어나 이국적인 세계에 빠져들며 낯선 세계 · 자연 · 음식 · 문화 · 사람 · 언어가 지배하는 곳으로 간다는 것에 이미 해방과 위안이 느껴졌다. 첫 여행에서 힐링의 차원을 넘어 보물을 찾았다. 평생 기꺼이 올인하여 일할수 있는 동력을 얻었기 때문이다.

밤늦게 도착한 리조트 정원엔 하와이허브라고 하는 플루메리아 꽃향기가 진동하고 있었고, 숲속의 정원엔 야간조명등이 정답게 빛나고 있었다. 리조트 언덕에서 본 남쪽하늘의 남두육성은 나의 뇌리를 크게 자극해서 나는 벼락을 맞고 감전된 것만 같았다. 고구려의 고분벽화에 그려진 남두육성의 의미가 선명하게 밝혀졌기 때문이다. 생명을 관장하고 온갖 생명에 축복을 쏟아 붓는 남두육성은 남쪽의 방위신이다. 따뜻한 온기와 이글거리는 생명현상은 남쪽에서 발원하는 것이다.

고구려의 고분벽화에 그려진 밤하늘은 무엇보다도 동서남북을 지키고 수호하는 사숙도의 의미가 강력하게 부각되어 있다. 사숙도는 해와 달과 북두칠성과 남두육성, 즉 일월남북두(日月南北斗)를 일컫는 말인 바, 고대 한국인들은 사숙도로서 온누리를 수호하고 보살피는 '보살핌의 철학'을 탄생시켰다. 이는 서구가 일찍부터(헤라클레이토스) 변증법의 체계를 세운 것보다는 더욱 고매한 것으로 보인다. 변증법의 원리를 추동하게 하는 것은 싸움과 투쟁 및 전쟁으로 번역되는 폴레모스(polemos)이기 때문이다.

그때 필자에게 다가온 남두육성에 대한 이해는 신이 선물로 주시는 신비한 상징기호로 다가왔다. 그래서 당장 필자는『고구려의 고분벽화에 그려진 한국의 고대철학』을 구상했고, 귀국 후 집필을 완료해 출간했다. 더불어 수다한 한국의 고대철학에 관련된 논문들을 남두육성을 비롯한 하늘의 별들로 채웠다. 그 후에는『선사시대 고인돌의 성좌에 새겨진 한국의 고대철학— 한국 고대철학의 재발견』을 집필해 600페이지에 달하는 책으로 출간했다. 고인돌 덮개돌에도 남두육성을 비롯한 별자리들이 새겨져 있기에, 고대의 한국인들은 선사시대부터 성좌도를 중심으로 온누리를 보살피고 수호하는 '보살핌의 철학'을 펼쳤던 것이다.

일월남북두를 비롯한 사신도와 사숙도로부터 한국고대철학의 원류를 찾은 것은 필자에게 자긍심과 줏대정신을 되찾는 것이어서 큰 기쁨으로 와 닿았다. 그때까지 한국 고대철학이 거의 다 중국으로부터 수입된 것(유교·불교·도교)으로 장식되어 있다는 것은 적잖은 의혹을 안겨왔기 때문이다. 물론 중국으로부터 유입되었다고 해서 안 좋다는 것은 아니다. 중국과 다름없이 오랜 역사를 간직하고 있음에도, 순수한 우리 철학이 없는가에 미심쩍은 부분이 내 의식을 억눌러왔다는 것의 의미다.

필자는 고대 그리스철학과 독일철학(하이데거와 후설)을 전공했고, 동양철학을 전공하진 않았지만, 한국고대철학의 재발견에 관한 고민을 그때부터 마음 한 구석에서 키워오고 있었다. 그럴 때 마침 첫 번째 여행에서 큼지막한 보물단지를 찾은 것이다. 시인에게는 시(詩)를, 예술가들에겐 미적 이데아를(프로방스로 떠난 반 고흐와 타히티에서의 폴 고갱), 음악가에겐 아름다운 멜로디를, 문학인들에겐 기묘한 이야기를(쿠바로 낚시여행을 다녔던 헤밍웨이), 철학자에겐 샘솟는 사유를 안겨주는 것이 여행이다. 세상 모든 영역에 종사하는 이들에게도 마찬가지임은 물론이다.

과학자들에게도 여행은 사유의 원천이 될 수 있다. 물리학자인 빅토르 바이스코프(Victor Weisskopf)는 청소년기에 친구와 함께 알프스 산을 등반하며 자연에 대한 감동스런 경외감을 느꼈고, 이는 그를 물리학의 세계로 이끈 원동력이 되었다고 한다. 막스 플랑크(Max Planck), 베르너 하이젠베르크(Werner Karl Heisenberg), 한스

베테(Hans Bethe)와 같은 물리학자들도 높은 산봉우리와 밤하늘의 광경에 감동을 받아서 원자와 별들의 운동을 서로 관련지어보겠다는 생각을 갖게 되었다고 한다.[87] 이런 물리학자들 외에도 갈라파고스로 떠난 진화론자 다윈과 남미대륙 전체를 떠돌았던 훔볼트를 떠올려볼 필요도 있을 것 같다.

프리먼 다이슨(Freeman Dyson)은 리처드 파인만(Richard P. Feynman)의 번쩍이는 직관과 줄리언 슈윙거(Julian Schwinger)의 치밀한 계산을 결합하여 양자운동이 전기현상과 어떤 관계가 있는지에 대한 수수께끼를 풀어보려고 애를 썼다.[88] 이 문제는 당시에 양자전기역학이라고 불리었는데, 일종의 방사능과 원자에 대한 이론으로서 당대엔 하나의 난제 중에 난제였다. 그러니 아무도 이 이론을 증명하지 못해 쩔쩔매고 있었다. 다이슨은 6개월 동안이나 이 문제에 매달렸는데, 어느 순간 복잡한 문제에서 손을 놓고 두 주일동안 캘리포니아로 여행을 떠나 빈둥거리며 시간을 보냈다.

그는 캘리포니아에서 무위도식하는 여행 후에 프린스턴으로 돌아가는 고속버스에 올랐다. 그런데 이 버스가 캔사스를 지날 때쯤 한밤중에 갑자기 모든 것이 눈에 보이는 것처럼 분명해졌다고

87 미하이 칙센트미하이, 노혜숙 옮김, 『창의성의 즐거움』, 북로드, 2008, 106쪽 참조.
88 미하이 칙센트미하이, 노혜숙 옮김, 『창의성의 즐거움』, 북로드, 2008, 99~100쪽 참조.

한다. 말하자면 파인만과 슈윙거의 이론이 딱 들어맞는 것을 깨달았던 것이다. 계시이자 유레카의 체험이었다. 이러한 다이슨의 통찰은 연구실을 떠나 여행하며 머리를 비우고 쉬는 동안에, 그의 사유가 초연한 자세에서 의식과 무의식을 오가며 일궈낸 창조행위라고 볼 수 있다.

CEO의 경우를 예로 들면, 씨티코프(Citicorp)의 존 리드(John Reed)는 회사가 직면한 위기와 문제점 해결을 위해 사무실에서 골머리를 앓지 않고, 오히려 사무실을 멀리 벗어나 여행길에 올랐다고 한다. 그는 카리브 해안과 플로렌스의 공원벤치에서 해결의 실마리를 마련하였다고 한다.[89] 아름다운 곳에서 문제해결의 실마리를 마련했다는 것은 다소 낯설기도 하지만, 사무실에서 머리를 부여잡고 한숨을 푹푹 쉬어봐야 뾰족한 수가 나오지 않았을 것이다. 지구를 보려면 지구를 벗어나 우주공간으로 나가야 하는 것과 같은 이치다.

영혼이 일상의 억눌림에서 해방되면 오히려 뭔가를 볼 수 있는 계기가 마련될 수 있다. "정신(Geist)이 자유롭지 않으면 새로운 것을 볼 수 없다"는 헤겔의 논지는 틀리지 않은 것으로 보인다. 아름답고 조용한 곳, 장엄한 전경이 펼쳐지는 대자연 앞에서 우리는 큰 해방감을 맛보게 되고 뇌는 얽매임에서 풀려나 순화된다. 그러면

---

89 미하이 칙센트미하이, 노혜숙 옮김, 『창의성의 즐거움』, 북로드, 2008, 167쪽 참조.

좀 더 초연한 자세에서, 새로운 관점에서 문제의 상황을 들여다보게 된다.

　내게 자연이 베풀어준 은총은 위에서 언급한 남두육성과 밤하늘 외에도 수없이 많다. 그 선물보따리를 다 펼칠 수는 없을 것 같지만, 한 가지 분명하게 말할 수 있는 것은 자연에 더욱 가까이 다가가는 시각을 획득했다는 점이다. 자연은 자신의 모든 것을 아낌없이 베풀어주고 인간으로 하여금 삶을 유지하게 하며, 포근한 어머니의 품과 같은 역할을 하고 있다. 자연이 인간의 유일한 고향이고, 자연 외에 인간의 고향은 없기에, 이를 망각한 것은 곧 '고향상실(Heimatlosigkeit)'일 따름이라고 한 하이데거의 선언은 진실인 것으로 보인다.

　자연은 위대한 유기체로, 살아있는 생명체로, 수동적으로 가만히 자리한 동시에 능동적으로 자신의 모습을 펼쳐 보이며 기적과 신비를 계시하고 있다. 이러한 자연의 위대한 능력을 체득해보면 큰 감동이 와 닿는 것을 느낄 수 있다. 우리가 도서관이나 연구실에서는 이해하려고 애쓴 아리스토텔레스의 '목적론적 세계관(Teleologische Weltanschauung)'을 여행지에서 현장실습처럼 친근하게 눈앞에서 목격한다.

　아리스토텔레스에 의하면 모든 유기체는 자기 자신 안에서 완전성을 향해 나아가는 목적을 근원적으로 갖고 있다. 모든 유기체는 말하자면 자신의 가능성을 전적으로 실현시키려고, 즉 최상의 상태와 완전성을 위해, 추구하는 바로 거기에 자신의 본질을 끌어안고 있는 것이다. 이를테면 식물의 본질은 자신의 최상의 상태와 완전성으로 되려고 모든 가능성을 실현하고 추구하는 것, 즉 그것이 배아, 개화, 태양빛을 되도록 많이 받으려는 투쟁, 결실을 통해 자신을 구현하는 바로 거기에 있다는 것이다. 이러한 사례를 통해 아리스토텔레스는 전체 자연을 설명하는데, W. 바이셰델(W. Weischedel)은 아리스토텔레스의 '목적론적 세계관'을 명쾌하게 밝히고 있다:

"존재하는 모든 것은 그 자체 안에 배태되어 있는 가능성을 최대한으로 충족시켜 실현하려고 한다. 전체 세계는 자신의 가장 고유한 완전성을 위해 노력한다. 바로 거기에 자연의 생동감이 있고, 또한 자연의 아름다움이 있는 것이다. 세계는 완전성으로의 열망에 의해 철두철미하게 지배되고 있으며 자연 자체도 바로 이러한 욕망의 집합체일 뿐이다. 세계는 자기실현과 자기완성이라는 하나의 엄청난 사건이다. 이 보편적 목적론은 아리스토텔레스의 세계상에서 매우 중요한 근본사상이다."[90]

나는 여행지에서, 대자연이 자신을 펼쳐 보이는 곳에서 아리스토텔레스의 '목적론적 세계관'을 적나라하게 목격했던 것이다. 남국

---

90 W. 바이셰델, 이기상·이말숙 옮김, 『철학의 뒤안길』, 서광사, 1990, 82쪽.

의 열대엔 강렬한 생명현상으로 가득 차 있다. 만물은 생명현상으로 열망에 가득 차 있고, 산이든 밀림의 숲이든 초목이든, 살아서 꿈틀 거리는 모든 생명체뿐만 아니라 무생물이라고 규명된 것들까지도 자신들의 자연성을 발산하지 않던가.

이제 내게 남은 과제는 슈바이처(Albert Schweitzer)가 그랬던 것 처럼 생명에 대한 외경사상에 빠져드는 것이다. 그는 어느 날 아프 리카 콩고의 강줄기를 따라 배를 타고 올라가던 중에 문득 모든 생 명체들이 살려고 하는 의지를 지닌 외경스러운 존재임을 깨달았다. 모든 생명체가 존재하려는 의지를 가진 것에 대해 외경심을 가져 야 하는 것은 우리 인간의 과제이다.

대자연이 품고 있는 모든 것은 코스모스의 가족이다. 인간의 눈 에 띄지 않는 곳에서 살짝 피었다가 지는 것들도 포함하여 존재하고 있는 모든 것은 존재할 자격이 있기 때문에 존재하는 것이다. 라틴어 의 속담대로 '이유 없이 존재하는 것은 없다(nihil est sine causa).' 대자연이 펼쳐 보이는 묘기에 놀라거나 외경심에 사로잡히며, 기적을 펼쳐내는 존재의 심층에 다가가는 것은 영광스러운 일이다. 기적의 영역을 더듬어가는 것은 여행을 통해 수행할 수 있는 고매한 작업이 고, 이를 통해 인간은 초인간적이고 초자연적인 영역으로 한걸음씩 다가가는 것이다.

'천상에서나 볼 수 있는'(반 고흐) 에메랄드와 코발트 색의 바다에 몽롱해진 적이 있는지. 혹은 태양빛에 물들어 황홀로 불타는 바다 때문에 넋을 잃어본 적이 있는지. 혹은 슈퍼 문(super moon)이라고 하는 거대한 달덩이가 고요와 어둠의 정적을 뚫고서 대양 위로 고개를 내밀 때나 대양 위로 은가루를 뿌려댈 땐 어찌 감당하는가. 이럴 때마다 "가장 아름다운 것은 가장 성스러운 것"[91]이라고 하는 횔덜린의 시구(詩句)가 진실이라는 사실을 인정할 수 있겠는가. 횔덜린은 〈나의 것〉에서 "저녁 어스름 속에 강물은 멈추어 있다. 성스러운 감동이 내 가슴을 흔들었고, 나는 놀을 멈추었다."[92]고 시작(詩作)했다. 이 '성스러운 감동'이야말로 우리가 대자연 앞에서 선물로 받는 은총이다.

태양이 마법을 걸어 요동치는 대양을 멈추게 하고 태양빛을 쏟아 부어 바다뿐만 아니라 온누리를 황금의 나라로 만들 땐 어찌 감당하였던가.

자연은 초자연을 끌어안고 있다. 가만히 거기에 있으면서도 기적을 펼쳐 보이는 것이 자연이다. 우리는 자연 앞에서 겸허해야 한다. 기적의 생명체들, 기적의 존재자들, 기적의 자연이 펼치는 향연은 곧 온누리가 '신의 자기현현(Explicatio Dei)'이라는 것을 웅변하는 것이다.

91 울리히 호이서만, 장영태 옮김, 『횔덜린』, 행림출판사, 1980, 168쪽.
92 울리히 호이서만, 장영태 옮김, 『횔덜린』, 행림출판사, 1980, 58쪽.

🔵 맺는 말

이 책은 여행 정보나 관광 안내 혹은 여행보고서를 목적으로 하고 있지 않다. 자연을 대면하는 여행을 하면서 때론 문학적이고 때론 미학적이거나 철학적인 대목이 자주 스미었다. 그렇다. 여행은 얼마든지 인문학과 미학 및 철학과 만나, '여행인문학'이라거나 '여행미학' 및 '여행철학'이라는 새로운 지평을 만들어낼 수 있다. 이제 우리의 여행객들 중에는 옛날과 달리 단순한 관광의 차원을 벗어난 이도 많은 것으로 보인다. 더욱 성숙한 시선으로 자연을 바라보면, 자연은 그에 상응하여 자신의 내밀한 부분을 우리에게 보여주는 것이다.

자연은 결코 수동적인 자세로 인간에 대해 마주 서 있는 '대상'에 불과한 것이 아니다! 자연을 단순한 인식의 '대상(Gegen-stand)'으로 본 것이 유럽 근대철학이 저지른 원죄이다. 거기엔 자연 자체의 존재중량이 고려되지 않고 있다. 자연은 그러나 스스로 자신을 펼쳐 보이고 오므리는 유기체(고대그리스의 자연개념인 physis)이고, '인간의 유일한 고향이다(하이데거)'. 실로 자연 외에 인간의 고향은 없다. 또 세상의 그 어떤 유토피아나 동화마을 혹은 무릉도원도 자연을 등지고는 그려질 수 없다.

고대그리스인들은 대지를 어머니 가이아로 그리고 태양을 아버지 헬리오스로 불렀고, 바다(Okeanos)는 우라노스와 가이아의 아들로 표현했으며, 하늘의 달과 별들도 마찬가지로 초인간적 유기체로 보았다. 눈여겨 들여다보면 자연은 자신의 내부에 초자연성을 내포하고 있다. 마치 하늘이 동시에 초−하늘이듯이(엘리아데) 자연 또한 동시에 초자연이어서 아무리 인간이 과학이나 철학을 대동해 봐도 그 비밀을 결코 다 캐낼 수 없다.

아름다움이 집약된 여행지에서 만나는 자연은 기적을 펼쳐 보이는 마술사이며, 그 아름다운 묘기의 마술에 걸리는 인간은 힐링을 체험하게 된다. 그래서 그런 마술에 걸리기 위해서 우리 인간이 갖추어야 하는 것은 예민한 감수성인데, 그런 감수성은 교양과 인격의 성숙에서 우러나온다.

자연의 미(美)가 직접적인 관심사가 되는 사람에게는 적어도 선한 도덕적 심성의 소질이 있다고 칸트는 말한다(『판단력 비판』). 아름다운 것과 숭고한 것은 도덕과 내밀한 관계가 있으며 선한 것의 상징이라고 진단하는 것이 칸트의 미학이다. 경외심을 불러일으키며 무한하고 압도적인 자연의 미와 숭고는 우리를 겸허하게 하기도 하고 경이감에 사로잡히게도 한다. '숭고를 느낄 수 있는 능력은 인간의 본성에 있어 가장 뛰어난 소질의 하나이다.'(F. 실러)는 말이 온당한 것으로 보인다.

참고문헌

강윤봉, 『혜초의 대여행기 왕오천축국전』, 두레아이들, 2011.

권주혁, 『여기가 남태평양이다』, 지식산업사, 2002.

김성길, 『마지막 낙원 팔라우』, 삼성서적, 1997.

J.W.von 괴테, 박환덕 옮김, 『빌헬름 마이스터의 수업시대』, 예하, 2013.

J.W.von 괴테, 곽복록 옮김, 『빌헬름 마이스터의 방랑시대』, 예하, 1995.

J.W.von 괴테, 박영구 옮김, 『괴테의 이탈리아 기행』, 푸른숲, 2002.

단테, 구자운 옮김, 『신곡』, 일신서적출판사, 1990.

J.R. 데자르뎅, 김명식 옮김, 『환경윤리』, 자작나무, 1999.

레이첼 카슨, 표정훈 옮김, 『자연, 그 경이로움에 대하여』, 에코, 2002.

마르틴 하이데거, 신상희 옮김, 『숲길』, 나남, 2010.

마르틴 하이데거, 이기상, 신상희, 박찬국 옮김, 『강연과 논문』, 이학사, 2011.

박일호, 『감성으로 보고 이성으로 읽는다』, 삶과 꿈, 2004.

박찬국, 『들길의 사상가 하이데거』, 동녘, 2004.

반 고흐, 신성림 옮김, 『반 고흐, 영혼의 편지』, 예담, 2001.

생텍쥐페리, 이정림 옮김, 『어린왕자』, 범우사, 1998.

소로우, 양병탁 옮김, 『숲속의 생활』, 서문당, 1996.

알랭 드 보통, 장영복 옮김, 『여행의 기술』, 이레, 2010.

M.엘리아데, 이동하 옮김, 『성과 속』, 학민사, 1996.

장자, 최효선 역해, 『莊子』, 고려원, 1994.

제인 빌링허스트, 이순영 옮김, 『숲에서 생을 마치다』, 꿈꾸는 돌, 2004.

지일환 · 유재우 · 김형일 · 김슬기, 『세계를 간다』(동남아 100배 즐기기), 중앙 M&B, 1998.

파울로 코엘료, 최정수 옮김, 『연금술사』, 문학동네, 1988.

플라톤, 최명관 옮김, 『플라톤의 대화』, 종로서적, 1984.

클라우스 헬트, 이강서 옮김, 『지중해 철학기행』, 효형출판, 2007.

M.하이데거, 전광진 옮김, 『하이데거의 시론과 시문』, 탐구당, 1979.

헨리 데이비드 소로, 이유정 옮김, 『가을의 빛깔』, 느낌이 있는 나무, 2003.

헨리 데이비드 소로, 김완구 옮김, 『산책 외』, 책세상, 2009.

헨리 데이비드 소로, 윤규상 옮김, 『소로우의 강』, 갈라파고스, 2012.

혜초, 이석호 옮김, 『왕오천축국전』, 을유문고, 1984.

C.D. Friedrich, Caspar David Friedrich, Berghaus Verlag: Kirchdorf-Inn 1989.

Diogenes Laertius, Leben und Meinungen berühmter Philosophen, Meiner: Hamburg 1990.

I. Kant, Kritik der reinen Vernunft, hrsg. von R. Schmidt, Hamburg 1956.

Klaus Held, Treffpunkt Platon, Reclam: Stuttgart 1990.

Martin Heidegger, Der Ursprung des Kunstwerkes, Reclam: Stuttgart 1960.

Platon(überset. von F. Schleiermacher), Sämtliche Werke, in zehn Bänden, Insel Verlag Frankfurt a.M. und Leipzig 1991.